L'amour Surmonte Toutes les Barrières

Aldivan Torres

Auteur : Aldivan Torres

©2023- Aldivan Torres

Tous droits réservés.

Série : Spiritualité et développement personnel

Aldivan Torres, né au Brésil, est un écrivain reconnu dans plusieurs genres. À ce jour, elle a publié des titres dans des dizaines de langues. Depuis son plus jeune âge, il a toujours été un amoureux de l'art de l'écriture, ayant consolidé une carrière professionnelle à partir du second semestre 2013. Avec ses écrits, il espère contribuer à la culture du Pernambouc et du Brésil, en éveillant le plaisir de la lecture chez ceux qui n'en ont pas encore l'habitude.

C'est mon cinquantième livre. Je le dédie tout d'abord à Dieu, pour qui tout vit. Je le dédie à ma mère, à ma famille, à mes lecteurs, à mes partisans et à ceux qui encouragent la littérature en général.

Construisons un pays avec plus d'éducation, plus de santé, plus de la justice, et plus d'amour entre tous. Construisons maintenant un pays d'aujourd'hui et de demain. Que la culture brésilienne soit toujours plus admirée et respectée dans le monde entier.

À propos du livre

Ce livre est plutôt une immersion dans la sagesse divine et mondiale. Leurs réflexions nous remplissent de sagesse, nous amènent à réfléchir et à appliquer leurs bonnes pratiques. Plus qu'un livre, c'est un guide de la sagesse, religiosité et bien-être.

Le livre invite tous les lecteurs qui aiment la bonne littérature. Nous apprendrons de plus en plus à être des êtres humains éthiques, aimants, attentionnés et généreux avec les autres. Le monde a besoin des disciples de la bonté et de leurs bonnes œuvres pour devenir un meilleur endroit où vivre. Soutenez un écrivain indépendant. Soutenez la littérature jeunesse. Contribuez pour qu'il puisse vivre de son art.

L'amour Surmonte Toutes les Barrières

Certains réalisent leur rêve en se mariant et en ayant des enfants, mais d'autres sont heureux d'être célibataires

Nous avons tous le libre arbitre. Il ne sert à rien de blâmer Dieu pour les guerres dans le monde

Ne prenez pas de décisions irréfléchies

Avoir sa propre originalité

Soyez fidèle dans les petites choses. Et tu auras la confiance d'être fidèle dans les grandes choses

Si les autres vous rejettent, vous répondez avec votre valeur

Être faible est aussi une vertu

Savoir choisir son petit ami est un beau cadeau

Remigius de Reims

Choisir comme évêque

Présence au projet

Conversation avec le roi Childéric

La conversion de Clovis

Résumé final

Est-il bon pour vous de vous évaluer ?

Est-il normal d'avoir une nouvelle relation juste après la fin d'une autre relation ?

Qui devrions-nous épouser ?

À quoi ressemble l'école privée brésilienne ?

Les étudiants noirs ont encore peu de possibilités de poursuivre des études supérieures

Pourquoi voulons-nous que le monde fasse attention à nous ?

Une fois qu'une fille est devenue mère, ses amis sont ses enfants

Comme il est difficile de sortir avec quelqu'un de nos jours

Nous devons respecter les mères, parce qu'elles ont des histoires à raconter

Les parents ne devraient pas contraindre l'amour de leurs enfants. Ils doivent donner de l'amour gratuit.

Nous ne devrions jamais faire de commérages sur la vie des autres, surtout quand cela nuit aux autres.

Les rêves d'amour sont beaux, mais il vaut mieux tomber dans la réalité

Comment faire face à un adolescent rebelle de treize ans ?

Il ne sert à rien de chercher la bagarre ou de cultiver la haine

Si quelqu'un se plaint dans une relation, c'est un signe qu'il est en train de s'effondrer

Pourquoi rejetez-vous votre mari ?

Comme c'est mauvais de sortir avec quelqu'un qui vous corrige tout le temps

L'homme qui ne tient pas ses promesses n'est pas digne de confiance

Lorsque vous vous passez de loisirs, il est facile d'économiser de l'argent

Pour pouvoir travailler en entreprise, le salarié doit avoir l'esprit d'équipe

Pour être un bon travailleur, vous devez être bien avec vous-même

Qu'apprenons-nous des nuits sombres de notre vie ?

Avoir de nombreuses relations est-il un signe d'amour, de bonheur ?

Pourquoi les relations ne durent-elles pas éternellement ?

Pierre du Hollandais

Pierre de la jeune fille

Le cimetière des chevaux

Pourquoi de nombreux artistes regrettent-ils d'être célèbres ?

Pourquoi n'aurions-nous pas peur ?

Nous sommes des gens complets. Évitez donc le manque

Saviez-vous que la mort est inévitable ?

Que pensez-vous de la vieillesse ?

Vous ne voulez pas contrôler la vie des autres

Comment bien s'entendre en famille

L'histoire d'Afonso Pena

Aller visiter la plantation de tomates

Dans la mine d'or

Réunion de famille

Un débat à la faculté de droit

Carrière politique d'Afonso Pena

Souvenez-vous de vos origines

Une belle histoire de défis à surmonter

Combien la maturité m'a changé

Comment voyez-vous un amant ?

L'histoire de deux amants

Les hommes et les femmes peuvent-ils être amis ?

L'amour entre amis s'est transformé en relation

Il y a des hommes qui mènent une double vie

Ne soyez pas déprimé

Mon histoire personnelle comme exemple de dépassement de défis

Vous n'avez besoin du soutien de personne pour gagner

La petite gymnaste

Ne jouez pas dur dans une relation

Être mature, c'est prendre des conversations aléatoires pour acquises

Pardon

Le pardon de Jésus à la prostituée

Nous devons apprendre à nous aimer nous-mêmes

Ne jugez personne dans votre combat personnel

Qu'est-ce que Dieu exige de nous ?

Foi et espérance

Qu'est-ce que cela signifie d'être romantique ?

C'était le 22 octobre 2023. Comme d'habitude, je me réveille vers huit heures du matin. Je me lève, je sors de ma chambre et je vais à la cuisine. Là, je retrouve ma sœur qui avait déjà préparé le petit-déjeuner. Je m'assois sur une chaise autour de la table et commence à manger du pain et du café. C'était ce qui était disponible, et j'étais heureux d'être là. Je travaillais à domicile depuis quatre ans et la routine d'aller travailler tous les matins et de revenir l'après-midi me manquait. Mais pourquoi avais-je choisi le télétravail ? J'ai choisi ce type de travail en raison de deux facteurs principaux : l'oubli de Brian, mon grand amour au travail, et la difficulté de me déplacer si je devais y assister tous les jours en personne. Me réfugier dans le télétravail était donc ma meilleure option.

Dalva

Il y a quelqu'un qui vous appelle. On dirait que c'est votre compagnon d'aventure.

Divin

Dites-lui d'entrer et de se mettre à l'aise.

Dalva

Sûr. Je vais l'appeler.

Quelques instants plus tard, la silhouette de Renato apparaît devant moi. Comme il était beau. Il y avait environ trois ans que nous n'avions pas eu d'aventures durables, et c'était un grand péché pour notre littérature. Mais il était là, avec un regard très spécial sur son visage, et cela m'a fait trembler d'anxiété.

Divin

Mon cher Renato, comment allez-vous ?

Renato

Je m'en sors très bien. Et toi ?

Divin

Dans la routine du travail à distance depuis environ quatre ans. Cela m'a bouleversée et démotivée aussi. Nos grandes aventures autour du monde me manquent. Dites-moi, quoi de neuf ?

Renato

Ma mère veut te voir. Elle a besoin de vous en parler. Pourriez-vous m'accompagner jusqu'au sommet de la montagne ?

Divin

Ce serait formidable. Je vais demander à mon patron un mois de vacances. Ce n'est qu'alors que je pourrai vous accompagner.

Renato

D'ACCORD. J'attendrai que tu appelles ton patron.

Divino se leva de table, sortit son téléphone portable et appela immédiatement son patron. En un mot, il a expliqué ses rendez-vous urgents et a été assuré d'être pris en charge. Puis il a raccroché son téléphone et est revenu à la table avec un sourire aux lèvres.

Divin

Je viens d'être blanchi par mon patron. Je vais faire mes valises et nous partons pour le sommet de la montagne. Attendez une dizaine de minutes et je ferai mes valises.

Renato

Mettez-vous à l'aise, ma chère. Je vais peut-être même attendre un peu plus longtemps. Je sais que les choses ne se résolvent pas d'elles-mêmes comme par magie.

Divino se leva de table, traversa le corridor et gagna sa chambre. C'est en choisissant les objets les plus nécessaires qui pouvaient mener à ce voyage magique qui promettait de grandes choses. Une vingtaine de minutes plus tard, la valise était bouclée et il retrouva Renato. Ensemble, ils quittent la maison et commencent à gravir la montagne d'Ororubá, la montagne dite sacrée.

L'ascension de la montagne

Les deux aventuriers commencèrent à gravir la montagne sur le sentier choisi. Pas à pas, ils allaient commencer une grande entreprise vers le sommet de la montagne, comme ils l'avaient fait il y a douze ans. Qu'est-ce qui a changé depuis ? À l'époque, le divin petit n'était qu'un garçon et Renato était encore un enfant. Ensemble, ils étaient inexpérimentés dans les connaissances que la vie pouvait leur enseigner. Aujourd'hui, une décennie plus tard, les rôles avaient changé : Divino était un adulte mûr tandis que son compagnon d'aventure était un jeune homme plein de rêves. Ils avaient déjà un grand bagage culturel, mais ils voulaient en apprendre de plus en plus afin d'évoluer sur leur chemin d'apprentis. Et avec eux, tous les lecteurs partiraient à la recherche de nouveaux mondes, vivraient des aventures, vivraient des situations diverses qu'ils n'auraient jamais pensé à refléter. Mais en permanence, nous aurions tous cette opportunité de réfléchir tout au long de sa trajectoire.

Ils effectuent un quart du parcours et font la promotion de la première étape de la promenade. Divino ouvre son sac à dos et partage du pain et des craquelins avec son compagnon. Pendant qu'ils mangent, ils entament un dialogue.

Renato

Et qu'avez-vous fait au cours de ces trois années sans contact durable ?

Divin

J'ai mis fin à un cycle important qui consistait à quitter le travail en présentiel et j'ai commencé à travailler à distance dans mon emploi au gouvernement. Aujourd'hui, cela fait dix ans que je suis dans la fonction publique.

Renato

Félicitations, Divine. Je sais à quel point cela a été important pour sa trajectoire. Mais pourquoi avez-vous décidé de travailler à distance ? Qu'est-ce qui vous a amené à prendre cette décision ?

Divin

L'amour du travail et la difficulté de la locomotion. J'étais amoureuse de Brian, qui est un collègue, depuis huit ans. Ce sentiment, bien qu'il soit très beau, m'a fait me sentir très mal parce que je n'étais pas réciproque. Quitter le présentiel pour aller au télétravail m'a donc sorti de son quotidien et m'a fait l'oublier. J'étais sûre qu'il ne m'aimait pas. Simplement, Brian ne m'a jamais rendu visite à mon domicile, même après quatre ans de travail à distance. Si une personne vous aime, elle n'agira jamais de cette façon. J'ai donc écarté Brian des possibilités amoureuses de ma vie. Je me sens mieux. Je me sens heureux et sans souffrance. Une autre question que j'ai également prise en compte était d'arrêter d'utiliser les transports en commun tous les jours. En plus du risque d'accident, j'ai attendu longtemps que le transport se remplisse et cela m'a énervé. C'est quelque chose qui m'a beaucoup fatigué. Le travail à distance était donc vraiment une bonne chose en ce sens. Et toi ? Comment vas-tu ?

Renato

J'ai terminé l'université et j'ai obtenu un emploi d'assistante administrative dans la ville. Maintenant, je suis un homme avec des responsabilités.

Divin

Quand allez-vous vous marier ?

Renato

Je suis comme toi : je ne veux pas d'engagement. J'ai compris qu'étant libre, la vie est beaucoup plus appréciée. Je ne suis pas pressé de me marier. Je ne pense pas que je sois né pour ça. J'aime faire la fête, m'amuser, mais pas d'engagement.

Divin

Vous avez tout à fait raison, cher ami. Je ne vais pas me marier non plus. Je veux découvrir tout ce que la vie a à offrir. Je compte sur votre entreprise pour cela.

Renato

Clair. Ce sera un grand plaisir de vous accompagner dans ce grand voyage. Il est temps pour nous de nous remettre sur les rails. Allons-y ensemble ?

Divin

Bien sûr. Tout de suite.

La marche s'est poursuivie. Un vent fort souffle, secouant les visiteurs. Une peur intérieure les consumait, mais elle ne les arrêtait pas sur le chemin. Ils savaient que cet acte était une libération de toutes les incertitudes qui les entouraient. Rien d'autre n'avait d'importance à ce moment-là et ils se sentaient seuls dans l'acte de marcher. Peu de temps après, ils accomplissent la moitié du tracé proposé.

Désormais, ils se concentrent uniquement sur la marche, ce qui était une tâche énorme à accomplir. À quel point seraient-ils heureux lorsqu'ils auraient terminé le voyage ? Ils n'étaient pas sûrs si Rien, mais ils ont suivi leur instinct d'aventurier pendant des heures. Bientôt, ils seraient au courant d'un résultat imprévisible.

Finalement, ils arrivent au sommet. Continuant sur le sentier, ils se rendent à la maison du gardien de la montagne. Peut-être y trouveraient-ils des réponses. Lorsqu'ils arrivent à la maison, ils frappent à la porte, on leur répond et ils s'installent sur un canapé. Une vieille connaissance se présente.

Fleur

Comment vas-tu, ma chère Divine ? Cela fait combien de temps, n'est-ce pas ?

Divin

Je vais bien. Quelles bonnes nouvelles vous apportent-ils ?

Fleur

J'ai été invitée à être mannequin à Paris. Je suis excité et hésitant. J'ai peur, mais j'avais aussi très envie de connaître cette vie à l'étranger. Qu'en penses-tu ?

Divin

C'est vraiment une supposition de n'importe qui, n'est-ce pas, Renato ? Il y a tellement d'histoires obsédantes que je ne peux même pas vous raconter.

Renato

C'est tout. C'est à ce moment-là que nous avons pensé que nous pourrions aider cet ami. Et si nous allions tous à Paris et y passions nos vacances ?

Gardien de la montagne

Ce ne serait que trente jours de vacances. Nous en profiterions pour faire connaissance avec les meilleurs endroits de Paris. Tout cela serait très avantageux pour nous tous.

Divin

D'ACCORD. J'ai déjà fait mes valises. Que Paris nous attende.

Tout le monde applaudit la décision et va faire ses valises. Ce serait une belle aventure en France, l'un des grands pays européens.

Le groupe se trouvait dans le deuxième musée le plus important de Paris. Il y a plusieurs œuvres d'art dans une atmosphère très chaleureuse pour les touristes.

Divin

Qu'avons-nous appris sur l'art ici ? Nous apprenons à admirer le travail de chaque artiste qui nous fait découvrir son univers.

Fleur

Cela me rappelle mon premier client parisien. En plus du mannequinat, je suis une escorte de luxe pour pouvoir payer les factures. Il s'appelait Pierre. Nous avons passé quelques temps ensemble et il était extrêmement courtois. Il est considéré comme un bon vin doux de Paris.

Renato

Il y a toujours un problème lors de ces visites. Mais si vous êtes heureux, qui sommes-nous pour vous critiquer ?

Gardien de la montagne

En général, le groupe LGBTI a besoin de se prostituer pour survivre dans ces refuges. Rien d'inhabituel. Ce qui est bien, c'est le musée. Une beauté à l'état pur et une culture inégalée.

Divin

Oui. Respecter ces événements et ces moments est spécial. Et nous sommes là pour te soutenir, chère Petite Fleur. Continuez à nous raconter vos aventures amoureuses. Nous serions ravis d'avoir de vos nouvelles.

Fleur

Merci, ma chère. J'ai adoré la tournée comme l'une des meilleures que je n'ai jamais eues. Passons à la prochaine visite.

Tour Eiffel

Le groupe était dans un restaurant en face de la Tour Eiffel. Ils se sont sentis libres et libres de parler pendant un certain temps.

Divin

En la voyant d'ici, comme cette tour est merveilleuse. C'est vraiment un privilège de participer à cette aventure. Comment te sens-tu, petite fleur ?

Fleur

Je me souvenais de ma dernière histoire d'amour. C'était un grand maître comme la richesse de l'art de cette tour. La France est vraiment un pays à part.

Renato

Et à quel point les Françaises sont spéciales, aussi. En fait, ce pays est spécial et respire la culture.

Gardien de la montagne

La tour peut représenter l'équilibre émotionnel que nous avons face à la vie. Si nous exagérons une partie, nous perdrons sûrement le sens de la vie. Le secret pour bien faire, c'est d'essayer un peu de tout, avec modération. C'est peut-être une décision cruciale qui nous attend. Si nous savons comment prendre la meilleure décision, nous pouvons être heureux dans la vie.

Divin

La tour nous guide pour profiter de cette nuit avec beaucoup de vivacité. Puissions-nous vivre aujourd'hui sans nous soucier de ce que l'avenir nous réserve. Soyons heureux maintenant !

Fleur

Et que nous sommes satisfaits de nos spécificités. Que chacun ait le droit d'être heureux, sans distinction de race, de croyance, de sexe ou de religion.

La nuit avance et nos amis restent dans ce restaurant à bien manger et boire. C'était un autre chapitre de la merveilleuse Paris.

Musée du Louvre

Divin

J'ai adoré l'exposition du musée. C'est comme si j'étais à l'intérieur de la culture du monde, tant le musée est riche.

Renato

Chaque photo que nous avons prise était magnifique. C'est un lieu inoubliable qui restera dans nos cœurs.

Fleur

Le musée du Louvre est une autre facette de Paris. Nous nous sommes sentis à l'aise, comme si j'étais avec l'un des meilleurs amis. Tout simplement charmant.

Gardien de la montagne

Cette visite a été un grand événement dans nos vies. Avec la culture du musée, dans les sentiments préparés à explorer Paris, la grande capitale de la France.

Après une journée complète de visites, le groupe fait ses adieux au musée et rentre chez lui. Les événements à venir étaient jadis gardés par tous.

Cathédrale Notre-Dame

La cathédrale de Notre-Dame est fantastique et possède beaucoup d'histoire. Une invitation à la découverte de la culture française.

Divin

Une histoire racontée même par les scénaristes. C'est une plongée dans l'histoire du monde à travers de merveilleuses sensations.

Fleur

Ce lieu fait référence à l'histoire. Ce lieu renvoie à la réflexion, à la société et aux décisions. C'est une grande page de l'histoire.

Gardien de la montagne

Nous nous souvenons des films et des livres sur ce monument. Nous nous souvenons de nos propres souvenirs de cette expérience colossale. C'est très bon d'être ici.

Renato

Notre esprit juvénile rencontre le passé français et c'est un peu troublant. C'est un peu difficile de gérer ces émotions. Mais lorsque nous réalisons que la magie est en nous, nous nous sentons libérés d'aimer et de vivre.

Ce fut une journée très fructueuse où ils ont eu la chance de se confronter à ce monument historique. Et ils passaient à l'objectif suivant avec plus de bonheur, d'anxiété et d'excitation. Je suis contente qu'ils aient vécu tout ça.

Little Flower a trouvé le bonheur à l'étranger. Elle a vécu sa vie comme si elle n'avait jamais eu l'occasion d'être qui elle était. Malgré toutes les difficultés, j'ai reconnu l'aide de Divino dans tout ce processus. Pour un monde avec plus de liberté, de tolérance et d'amour pour les gens.

Qu'est-ce que la vie ? Quel est le sens de la vie, de l'amour et de la relation ? Quel est l'intérêt de chercher l'épanouissement dans notre vie ? Est-ce tuer ce manque qui nous étouffe ? Il y a de nombreux facteurs qui nous amènent à entrer en relation avec quelqu'un et à croire que c'est la bonne chose à faire.

Nous vivons ce processus de la connaissance de soi de manière large tout au long de la vie. Nous vivons la douleur des échecs, la joie des réussites, nous vivons le plaisir des relations, et de manière intuitive, nous vivons nos frustrations la tête haute. Peut-être que ce que nous recherchons dans l'autre, ce n'est pas tant la complémentarité. Peut-être cherchons-nous les réponses à tant de choses que nous cherchons et que nous considérons que cela n'a pas de sens. C'est peut-être la connaissance et la sagesse qui nous guident à chaque étape de l'évolution dans ce monde.

Ce processus de connaissance nous guérit et nous transforme. C'est une libération de comprendre que nous sommes indépendants et que notre petit ami, fiancé ou partenaire n'est pas responsable de ce sentiment intérieur que nous avons et que nous appelons le bonheur. Alors peut-être que sortir avec quelqu'un est un besoin physique, psychologique et humain. Mais jamais, en aucune circonstance, une dépendance au bonheur extérieur. C'est pourquoi je dis : marié ou célibataire, le bonheur est votre propre construction.

Ne laissez pas le regard des autres vous affecter

Ne cédez pas à l'opinion des autres. Ceux qui vous critiquent ne veulent voir que le pire de vous. Faites votre propre volonté, même si cela a de mauvaises conséquences. C'est en vivant et en apprenant que l'on est vraiment heureux. Suivez votre propre voie avec courage, courage. Faites en sorte que votre histoire compte.

Ne laissez pas un mariage raté vous retenir

Si votre partenaire vous traite mal d'une manière ou d'une autre et si vous restez dans le mariage en raison d'une dépendance financière ou de vos enfants, je vous le dis : cela n'en vaut pas la peine. C'est payant d'être bien avec soi-même, d'avoir son travail, d'avoir son indépendance financière, d'être libre et d'être heureux. Si quelque chose vous blesse, repoussez-le.

La fin d'un mariage n'est pas la fin du monde. Ce n'est que le début d'une nouvelle ère où vous chercherez à vous améliorer personnellement. C'est une ouverture à de nouvelles possibilités, où vous pouvez trouver votre vrai bonheur. Peut-être que tout va mal à nouveau, mais si vous n'essayez pas, vous ne le saurez jamais. Alors continuez à pousser jusqu'à ce que vous l'obteniez.

Quand quelqu'un ne nous apprécie pas, c'est une plaie ouverte et une douleur qui ne finit jamais. Mais pour briser ce cycle pervers de dépendance, nous devons faire l'expérience de nouvelles situations dans notre vie. Nous devons faire l'expérience de la grandeur de notre son propre être par la méditation et la réflexion continuelles.

Quand quelqu'un ne nous apprécie pas, il est nécessaire de surmonter le rejet et de s'abandonner au grand amour de Dieu qui nous couvre tous. Il faut de la foi pour se retrouver avec une force intérieure que nous seuls connaissons. Et oui, ce pouvoir de l'univers peut complètement nous transformer.

Quand on aime, on veut toujours être avec la personne qu'on aime

Lorsque nous aimons une personne, nous voulons toujours être ensemble, partager des moments incroyables avec elle. Ce contact durable n'est pas toujours possible. Parfois, nous avons de nombreuses obligations qui nous éloignent de notre bien-aimé. Mais lorsqu'il est temps de rencontrer à nouveau la personne, notre bonheur revient rapidement.

Ensemble, nous pouvons vivre de grands et de petits moments. Mais pour ceux qui sont célibataires comme moi, la vie passe vite sans beaucoup de nouvelles. Étant célibataires, nous avons moins d'obligations et moins de problèmes pour nous occuper. C'est un soulagement de savoir que nous ne dépendons que de nous-mêmes.

Être ensemble n'est pas toujours un signe de bonne amitié. Parfois, les pires démons viennent nous tourmenter dans notre propre maison. Ce sont donc les actions de la personne qui nous montrent ce qu'elle est vraiment. Observez cela et vaquez à vos occupations sans soucis majeurs.

Si quelqu'un vous a aidé à un moment défavorable de votre vie, soyez-en reconnaissant. Ne dépréciez jamais l'action ou l'auteur de la transformation dans votre vie. Les ingrats sont les pires personnes que nous puissions rencontrer dans la vie. Ce sont des gens qui ne se souviennent pas du passé et à quel point ils avaient besoin de nous.

Remboursez le bien que vous avez reçu même si l'autre personne n'en a pas besoin. Faites de vos actions de grands moments de charité, d'amour et d'altruisme. Laissez votre marque sur le monde tant que vous pouvez vivre et partager de bons moments. Vive l'amour, si vous avez le droit de le faire. Lorsque vous atteindrez un âge avancé, vous aurez une histoire à raconter. Lorsque vous atteindrez un âge avancé, vous vous souviendrez des bons moments que vous avez passés dans la vie.

Pour maintenir un mariage sain, vous devez parler et faire beaucoup de compromis

Un mariage est une combinaison de deux personnes qui essaient de vivre ensemble en harmonie. Pour maintenir la paix ensemble, il faut parler, faire des compromis sur certaines choses et voir ses souhaits exaucés. Ceux qui sont autoritaires et intransigeants finissent par être seuls. Ceux qui ne s'intéressent qu'à l'argent n'ont pas non plus une vie heureuse.

Cela vaut-il la peine de garder un mariage ? Pour ceux qui veulent fonder une famille, la question du mariage peut être une bonne chose. Mais pour ceux qui veulent avoir leur liberté en premier lieu, peut-être qu'être célibataire est la meilleure option. Si vous êtes célibataire, vous pouvez sortir avec plusieurs partenaires sans donner d'explication. Ceux qui sont célibataires ont moins d'obligations envers leur progéniture potentielle. C'est donc un cas auquel il faut réfléchir.

Il est bon d'être indépendant financièrement et émotionnellement

Ne laissez jamais votre gagne-pain dépendre d'autres personnes. C'est humiliant de demander l'aumône à qui que ce soit pour survivre. Si vous êtes jeune, allez-y. C'est tellement beau de travailler et de conquérir ses affaires avec sa sueur. C'est tellement beau de contribuer à la société en étant un employé qui remplit ses obligations.

Avoir une indépendance émotionnelle et financière est une grande bénédiction. C'est se sentir bien, libre et puissant. C'est s'assurer que tout ira bien malgré vos malheurs. C'est donc notre plus belle réussite.

Accepter la famille de votre partenaire est le minimum requis pour une bonne relation

Essayez d'avoir une bonne relation avec les membres de la famille de votre partenaire. C'est le moins que l'on puisse attendre d'une relation durable et bénéfique. Si vous n'aimez aucun d'entre eux, repensez votre décision de vous marier. Même si votre partenaire vous aime, il sera toujours aux côtés de sa famille, alors ne lui demandez pas de choisir.

Assistez aux réunions de famille et soyez toujours gentil et poli. Montrez votre meilleur côté et essayez de parler à tout le monde de manière amicale. C'est dans ces moments-là que vous aurez l'occasion de mieux vous entendre avec chacun d'entre eux.

Sachez quand et comment agir pour plaire à votre partenaire. Vous n'êtes pas obligé de lui accorder une attention à plein temps, mais dans la mesure du possible, soyez avec lui pour l'aider dans son travail avec le sourire. C'est la camaraderie qui marque une relation et la transforme en un grand paradis. Allez de l'avant avec vos plans et vos projets, vous êtes en mesure de tous les accomplir.

Tout le monde a un amour qui vient de vies antérieures

Qui n'a pas aimé dans sa vie ? Qui n'a pas souffert par amour ? Qui n'a jamais rêvé d'avoir un mariage heureux ? Si vous avez répondu par l'affirmative à l'une de ces questions, alors vous êtes une personne sensible.

Nous avons tous eu un amour dans une vie antérieure. Peut-être un amour qui n'a pas été comblé. Ils ont tous les deux voyagé dans le temps et se sont rencontrés à nouveau dans cette vie. Et Parfois, ils comblent ce désir d'être ensemble. D'être heureux ensemble. Mais parfois, cela ne dure pas toujours longtemps. Parfois, le véritable amour ne dure pas plus de trois ans. Parfois, c'est juste un bel apprentissage de ce qu'est la vie. Et lorsque vous terminez cette expérience, vous êtes complètement comblé.

Ceux qui ne se sont jamais permis d'aimer ne sauront jamais ce qu'est un amour de vie antérieure. Il s'agit simplement de regarder l'autre et d'avoir un sentiment inexplicable d'amour, d'affection et d'attirance. C'est tout simplement magique de comprendre l'amour à l'œuvre dans nos vies. La meilleure réponse à cette question réside en nous-mêmes et en ce que nous considérons comme important pour notre bien-être. Si vous avez trouvé l'amour, profitez-en pendant qu'il est encore temps. Qu'ils soient heureux tant qu'il y a de l'amour.

Nous sommes des êtres humains complexes. Nous avons un esprit complexe. Et c'est peut-être pour cela que vous ne vous entraînez avec personne. Comme d'autres ont des perceptions et des affinités différentes des vôtres, il ne faut donc pas le minimum pour que vous mainteniez une relation. Et pensez à quel point il est compliqué d'avoir une relation amoureuse de nos jours. Ce sont des obligations financières, ce sont des obligations de partager des biens, le matérialisme des choses, nos responsabilités remplissent nos vies, nous avons peu de temps pour profiter de la compagnie des autres.

Peut-être que l'amour ne fonctionne pas pour nous parce que nous avons une vibration mentale qui n'attire pas la bonne personne. Et existe-t-il vraiment la bonne personne ? Plus ou moins. Il y a des gens avec plus ou moins d'affinités, mais jamais parfaits. Peu importe à quel point vous aimez quelqu'un, il y aura toujours quelque chose qui vous déplaît. Et ensuite, ce sera à vous de décider si vivre avec cette personne va être bénéfique pour vous.

Peut-être que l'amour n'est pas entré dans votre vie parce que vous ne l'avez tout simplement pas permis. En raison de frustrations antérieures, vous avez bloqué l'amour dans votre vie. Vous n'essayez même pas d'apprendre à connaître l'autre personne parce que vous êtes plein de méfiance. Je vous comprends. La peur de souffrir à nouveau vous fige. La peur de se donner et de ne pas être réciproque est plus grande. Mais si vous compreniez que les gens ne sont pas les mêmes, alors vous seriez toujours ouvert à l'amour et essayeriez d'être heureux un nombre incalculable de fois. Oui, l'amour est vraiment complexe.

Parfois, vous n'êtes pas satisfait de vous-même. Parfois, il y a quelque chose en vous qui vous dérange. Mais vous n'avez pas agi depuis des années pour des raisons de commodité. Ensuite, il est temps de passer à l'action et d'apporter plus de bonheur dans votre vie. Essayez de sortir, de lire, de voyager et de vous amuser. Essayez de participer activement à la vie. Donnez le meilleur de vous-même.

Ne vous contentez pas de tenir la promesse. Pensez qu'il y a beaucoup de gens qui dépendent de vous. Efforcez-vous donc de devenir quelqu'un de meilleur pour vous-même et pour tous ceux qui vous entourent. Vous aurez votre bonheur de savoir que vous avez évolué et contribué à un monde plus juste, plus solidaire et plus agréable.

La vie est un grand défi pour nous tous. Et penser aux problèmes de la vie peut nous affecter durement. Pensez moins aux problèmes. Vivez la vie avec joie, profitez des moments car ils sont uniques.

S'ils pensaient au pire tout le temps, nos vies seraient un grand stress. Alors, marchons à chaque étape pour mieux réfléchir à nos projets. Partez à la recherche de vos rêves, prudemment.

Nous devons tous aller de l'avant. Nous devrions tous porter la foi que nous avons en nous et espérer le meilleur dans la vie. Même si le pire se produit, nous devons être prêts à toute éventualité. Puis la vie continue sans autre explication. Sentez simplement ce plaisir de vivre couler dans votre poitrine. Vous pouvez, vous devez et vous méritez d'être heureux.

La plupart des gens rêvent d'un mariage heureux et de beaux enfants à élever. C'est leur bonheur. Mais votre bonheur peut aussi être célibataire. Ce que nous ne pouvons pas créer, c'est une norme de bonheur que tout le monde suit. Personne n'est pareil aux autres. Chacun a ses propres peurs, traumatismes et spécificités.

Notre bonheur peut être de vivre seul, loin, sur une île ou même dans une ferme. Il peut s'agir de travailler ou simplement de passer du temps à jouer. Chacun est heureux selon ce qu'il mérite. Alors n'enviez le bonheur de personne. Chacun d'entre nous a sa propre lueur spéciale.

Il y a deux guerres en cours dans le monde : la guerre entre l'Ukraine et la Russie et la guerre entre Israël et la Palestine. Sans entrer dans le fond de la question des guerres, la responsabilité des guerres incombe à l'être humain lui-même. Dieu a remis la planète entre nos mains. Ne blâmez donc pas Dieu pour les actions des êtres humains. Nous sommes les vrais coupables.

Le monde doit apprendre à cultiver la paix et à abolir les guerres. Le monde doit apprendre l'amour, le pardon, la charité et la générosité. Nous devons faire une différence dans le monde en plantant les graines du bien. Soyez bon dans vos attitudes envers vous-même et les autres.

La haine et la colère sont de mauvais conseillers. Il est très judicieux de laisser la situation se sentir plus confortable et de prendre une décision définitive à ce moment-là. Lorsque nous analysons froidement le problème, nous pouvons avoir une pensée correcte sur ce qu'il faut réellement faire dans chaque question. Et parfois, la meilleure solution est exactement le contraire de ce que vous pensiez.

Pratiquez le pardon et la miséricorde. Faites le bien sans regarder qui. Hisser le drapeau de la paix, de l'altruisme et de la compréhension. Ce qui vous permet d'être heureux, c'est précisément de faire du bien aux autres. Le bien que nous faisons fera plus de bien à nous-mêmes qu'aux autres. Pensez-y avec tendresse.

Avoir sa propre originalité

Soyez qui vous êtes vraiment. Ne vous laissez pas rebuter par l'opinion des autres. Lorsque nous nous laissons emporter par ce que les autres veulent, cela nous pose un gros problème. Même si cela blesse votre réalité, soyez vous-même dans n'importe quelle situation.

Mais il est tout à fait vrai que nous cédons souvent à la pression sociétale par peur. Parfois, nous n'avons pas d'issue et nous commençons à vivre un personnage. Cela détruit notre psyché. Ce à quoi nous devons faire face, c'est à la peur de l'acceptation et cela doit être une attitude commune avec la famille.

S'il est nécessaire de plaire aux autres, comme c'est mon cas, alors il ne reste plus que le regret. C'est une vie qui est perdue pour longtemps. Dans mon cas, ça ne sert à rien de parler parce que mes frères et sœurs sont fermés d'esprit. Alors pour vivre avec eux, je dois être soumise. Cela invalide toute forme d'amour que je pourrais avoir. C'est ce qu'il y a de plus triste dans ma trajectoire. Peut-être qu'un jour je pourrai me libérer de tout cela. C'est ce que j'espère.

Soyez fidèle dans les petites choses. Et tu auras la confiance d'être fidèle dans les grandes choses

Nous apprenons à connaître des amis dans les petits problèmes. Si quelqu'un vous abandonne à votre sort, alors vous n'êtes pas digne de confiance. Suivez le côté des vrais amis, ceux qui se soucient de vous. Mais ne vous y trompez pas. De tels amis sont rares.

Cultivez de bonnes amitiés parce que cela vaut plus que de l'argent. Cultivez de bonnes relations parce qu'elles nous facilitent les choses. Qui n'a jamais eu à résoudre quelque chose à la banque et n'a pas eu son problème résolu rapidement par la connaissance ? C'est tout. Voici la preuve que les bonnes relations portent leurs fruits.

L'ami fidèle est celui qui vous soutient dans les meilleurs et les pires moments. C'est dans ces moments-là que nous nous rendons compte qui est vraiment à nos côtés. Mais ne soyez pas triste si vous êtes seul. Dieu ne nous abandonne jamais, quelle que soit la situation. En vérité, Dieu est le meilleur ami de tous.

Il y a eu plus de dix mille rejets professionnels et amoureux. Mais cela ne m'a pas détruit. J'ai trouvé en moi-même mon véritable amour, car je me mets moi-même en premier. J'ai aussi développé ma religiosité et je vois Dieu à l'œuvre dans ma vie, m'aimant comme un fils. Je suis tellement reconnaissante pour tout ce que Dieu m'a donné.

Remerciez donc ceux qui vous ont rejetés. Soyez donc reconnaissant de vous être débarrassé d'un problème. Vous pouvez vivre sans amour. Vous ne pouvez tout simplement pas vivre sans Dieu, sans la santé ou sans argent. Mais sans amour, vous pouvez survivre. Je vous remercie de vous valoriser et de voir que votre bonheur ne dépend que de vous et de personne d'autre. Un leader de lui-même est émotionnellement équilibré, sait comment agir et a les meilleurs plans pour l'avenir. Soyez la meilleure version de vous-même.

Être faible est aussi une vertu

' Personne n'est fort tout le temps. Nous avons tous un moment de faiblesse où nous avons besoin du soutien des autres. Et il n'y a pas de honte à dépendre de cette aide. Parfois, notre échec est si grand que nous nous retrouvons déchirés. Alors nous devons nous relever des décombres et naître de nouveau.

En Dieu, nous trouvons la force dont nous avons besoin pour avancer avec foi vers nos objectifs. Oui, il est possible de réaliser nos rêves avec du travail acharné, du dévouement et de l'amour pour les autres. Alors remontons le moral et allons de l'avant avec beaucoup de course. Vous êtes déjà un grand gagnant.

Soyez sélectif avec vos petits amis. Sortez avec quelqu'un que vous aimez, qui a une affinité sexuelle, et quelqu'un qui vous complète spirituellement. L'argent n'est pas si important dans ce cas. Bien que les gens ne s'identifient qu'à des personnes ayant le même niveau financier, je dirais que c'est une grosse perte. Il y a des maçons, des nettoyeurs, des travailleurs manuels, qui pourraient être de bons maris mais qui n'ont aucune chance de trouver quelqu'un.

En ce qui concerne le mariage, réfléchissez bien à la question de savoir si vous le voulez vraiment pour votre vie. Se marier est une grande responsabilité et peut être un gros problème si nous nous marions avec la mauvaise personne. Il peut s'agir d'une perte financière et sentimentale retentissante. Soyez donc très prudent dans vos choix sentimentaux.

Remigius de Reims

Choisir comme évêque

Évêque

J'ai de belles nouvelles à partager avec vous. En raison de vos nobles talents, je vous ai choisi comme mon successeur. Qu'en penses-tu ?

Remigius

C'est une grande responsabilité. Êtes-vous sûr qu'un jeune homme de vingt-deux ans serait capable d'une telle mission ?

Évêque

J'en suis convaincu. Je t'observe depuis longtemps, et je me rends compte que tu es un homme préparé. C'est pourquoi, aujourd'hui, je vous donne ce poste parce que je suis vieux et que je ne peux plus travailler.

Remigius

J'accepte donc. Merci beaucoup de m'avoir fait confiance. Je ferai de mon mieux.

Tout le monde applaudit ce choix. C'est le début de la carrière épiscopale du jeune homme. Que Dieu bénisse votre mission et votre projet.

Présence au projet

Leandra

Evêque, je viens vous demander conseil, je ne suis pas dans une bonne phase.

Remigius

Qu'est-ce qui se passe, chérie ? Expliquez plus en détail.

Leandra

J'ai des problèmes dans mon mariage. Je me suis disputée avec mon mari. Parfois, c'est moi qui m'énerve à cause de quoi que ce soit. Parfois, c'est lui qui est toujours occupé. Nous avions une relation heureuse. Mais avec le temps, il semble que cela s'effondre.

Remigius

Leur relation est devenue routinière. Pour y remédier, nous devons innover. Partez en voyage avec votre mari. Essayez de nouvelles choses. Essayez de pardonner vos fautes. Soyez ouverte à l'écoute de votre mari. Croyez-moi, les choses peuvent encore être gérées.

Leandra

J'ai aimé avoir de tes nouvelles, Père. J'appliquerai tous vos conseils.

Remigius

Bien joué, ma chère. Allez en paix et que Dieu soit avec vous. Vous serez très heureux.

Remigius a rempli ses devoirs d'évêque, de père, de conseiller et de pasteur ensemble à la communauté. Il avait la réputation d'être un homme intelligent et persuasif. Certes, sa nomination comme évêque avait été le meilleur choix de tous.

Conversation avec le roi Childéric

Childéric

À quoi dois-je l'honneur d'une si illustre visite de mon château ?

Remigius

Vous êtes une bonne personne. Tu es un roi juste avec tous les citoyens. Mais il ne reste plus qu'à mettre de côté ces faux dieux.

Childéric

Je ne comprends pas très bien. J'ai mes propres dieux et je les aime. Je voulais que cela soit respecté.

Remigius

Si vous connaissiez le grand amour que Jésus-Christ a pour nous et la protection de la Sainte Vierge sur les fidèles, vous seriez étonnés. C'est l'amour véritable que seul Dieu peut donner.

Childéric

Je respecte votre façon de penser, mais j'ai une autre foi. Je crois en d'autres choses. Je traiterai tous les chrétiens de la meilleure façon, mais c'est dommage que je ne me convertisse pas. Je ne me sens pas prêt pour ça.

Remigius

D'ACCORD. Je ne vais pas insister. Quand vous vous sentirez prêt, appelez-moi. J'attends avec impatience cette réalisation.

L'évêque se retira et vaqua à ses occupations. Quelque temps plus tard, la nouvelle de la mort du roi se répandit. Lors de la succession au trône, son fils nommé Clovis a été élu.

La conversion de Clovis

Remigius a organisé une rencontre avec Clovis pour poursuivre son objectif.

Remigius

Voici, je viens proclamer le Roi des rois et le Seigneur des seigneurs. Jésus-Christ était un grand prophète dans l'Empire romain. Il est le Fils de Dieu qui est descendu sur terre pour nous enseigner la parole divine. Avec ses grands enseignements, Jésus nous a montré qu'il était à la recherche des plus grands pécheurs. Qu'en dites-vous ?

Clovis

Comment ce Jésus prouve-t-il qu'il soit le fils de Dieu ?

Remigius

Pour la grandeur de ses enseignements et pour ses miracles. Jésus a changé l'eau en vin, a ressuscité les morts, a guéri les aveugles et les estropiés, a pardonné à la prostituée. Jésus montre ainsi qu'il est le Dieu des exclus.

Clovis

Impressionnant. Qu'est-il arrivé à Jésus ?

Remigius

Il fut tué par les Juifs, mais ressuscita le troisième jour. Il est présent dans la vie de tous ceux d'entre nous qui croient en lui. Et si vous adhériez à cette croyance ?

Clovis

Après tout ce que j'ai entendu, j'y crois vraiment. Comment puis-je entrer dans la religion chrétienne ?

Remigius

Je vais vous baptiser dans la rivière. Vous recevrez l'esprit saint et deviendrez membre de notre église.

Une semaine plus tard, le roi et ses troupes furent baptisés par Remigius. Il s'est imposé comme un grand pasteur d'âmes, pour les personnes qui cherchaient un sens à la vie. C'était très bien, parce que cela le plaçait dans une position de premier plan.

Résumé final

Remigius a fait un excellent travail en tant qu'évêque. Pendant soixante-dix ans de mission, il a répandu la parole divine parmi les gens qui ne connaissaient pas le Christ. Il a également mené des projets caritatifs et de soutien aux plus démunis. Sa journée est célébrée le 13 janvier et est l'un des saints les plus importants de l'Église catholique.

Le processus d'évaluation interne nous permet de vérifier les défauts et les qualités. C'est efficace pour corriger les erreurs et obtenir plus de résultats. C'est un moment de méditation, de réflexion, de soins personnels et d'amour de soi. Vous devez vous valoriser, vous mettre en premier et voir ce qui est le mieux pour vous.

Avec la bonne évaluation, vous aurez un chemin à suivre qui correspond le mieux à vos besoins. Vous serez alors en mesure de prendre les meilleures décisions de votre vie. Allez-y et soyez fier de qui vous êtes.

Oui, c'est normal selon les normes d'aujourd'hui. Les gens ont tendance à rejeter les autres extrêmement facilement. C'est le moment où les gens aiment de moins en moins et sont égoïstes, arrogants, arrogants et fiers. C'est un monde matériel, où c'est chacun pour soi.

Il n'y a pas de règles pour mettre fin à une relation. Mais je dirais que dans le passé, il y avait plus de sentiment et plus de respect pour l'histoire de l'autre. C'était un monde meilleur avec des gens qui s'aimaient et se respectaient davantage. Les professeurs étaient respectés par les élèves, contrairement à ce qu'il est aujourd'hui. Ainsi, l'éducation, la santé et la civilité ont été affectées par les temps nouveaux. J'espère que cela s'améliorera un jour.

Nous devrions épouser quelqu'un avec qui nous nous sentons bien. Lorsque vous vieillirez et que tout deviendra difficile pour vous, il ne vous restera plus que la compagnie de votre partenaire. Et si vous n'avez pas d'amour pour cela, vous ne le supporterez tout simplement pas. Parce que toutes les autres choses sont éphémères.

Mais si vous me permettez de donner mon avis, c'est mieux d'être célibataire. Mieux vaut avoir votre liberté et ne pas avoir à rendre compte de vos actes à qui que ce soit. Il n'est pas sain d'être contrôlé par quelqu'un d'autre. Il n'est pas sain de vivre avec le fardeau de la responsabilité. Il n'est pas sain de cesser d'être heureux pour plaire à l'autre. Pensez-y.

L'école primaire privée brésilienne est bien meilleure que l'école publique en termes de qualité. Nous avons un meilleur matériel pédagogique, des enseignants plus qualifiés, de meilleurs investissements. En conséquence, les élèves apprennent beaucoup plus.

Dans l'enseignement supérieur, en revanche, les écoles publiques surpassent les écoles privées. Parce qu'ils sont mieux préparés, les places dans les écoles publiques sont principalement occupées par des étudiants aisés. Mais aujourd'hui, nous avons aussi des quotas pour les élèves des écoles publiques. Quant à savoir s'ils seront en mesure d'obtenir leur diplôme, c'est une autre histoire.

Aujourd'hui, au Brésil, nous avons des quotas raciaux pour les étudiants noirs. Mais quand même, la présence de Noirs à l'université est un fait rare. Quand on voit une personne noire obtenir son diplôme, ça devient une nouvelle. Le Brésil récolte encore les fruits de l'esclavage et des préjugés raciaux. Mais avec le temps, les choses s'améliorent.

Nous devons lutter contre les préjugés sous toutes leurs facettes. Nous devons nous battre pour une meilleure santé, une meilleure éducation, un meilleur environnement et un environnement moins corrompu. Nous voulons un pays plus juste où tout le monde peut effectivement avoir plus d'opportunités.

Le monde ne tourne pas seulement autour de vous. Dans une relation, il y a une multitude de facteurs qui font que notre partenaire se disperse. C'est normal et vous devez le comprendre. S'attendre à ce qu'il fasse attention à vous tout le temps est un peu égoïste.

À notre avis, nous passons toujours en premier. Mais d'autres ne voient pas les choses de cette façon. Leur première place est pour un autre objet. Il est donc bon d'accepter que les choses n'aillent pas toujours s'arranger tout le temps. Il y aura des échecs avec lesquels vous devrez vivre au quotidien. Il y aura des choses que vous souhaiteriez ne pas voir se produire, mais simplement l'imprévisible vous l'apportera. C'est la vie qui n'est pas une mer de fleurs.

Une fois que la fille a emménagé avec son homme, tout change. Elle devient femme de ménage, s'occupe de la maison, des enfants et travaille même à l'extérieur de la maison. C'est une routine très stressante. Pendant longtemps, la femme est isolée et a peu d'amis à qui parler. Vos enfants deviennent des amis et des confidents.

Une fois que les enfants ont grandi, la femme a plus de liberté. Vous pouvez voyager plus, avoir moins de soucis, vous pouvez faire de nouvelles qualifications professionnelles, vous pouvez avoir plus de temps pour vous. C'est là que la femme est à nouveau heureuse, d'avoir sa propre vie. C'est génial d'être libre et de faire ce que l'on aime.

De nos jours, il est difficile de sortir avec quelqu'un. De nos jours, avec le sexe facile, les gens ne s'attachent plus. Il y a aussi les problèmes juridiques et psychologiques qu'une relation apporte. C'est beaucoup un casse-tête d'être dans une relation de nos jours.

La plupart des gens ont des cas rapides. La plupart des gens préfèrent avoir la liberté plutôt que d'être attachés à quelqu'un. La plupart des gens ont peur d'être blessés parce qu'ils ont eu des expériences douloureuses dans le domaine de l'amour. Donc, beaucoup de gens finissent par être seuls. C'est une triste réalité pour beaucoup de gens.

Nous devons respecter les mères, parce qu'elles ont des histoires à raconter

Les mères veulent ce qu'il y a de mieux pour leurs enfants. Les enfants doivent donc obéissent à leurs mères. Même si nous pensons que leurs conseils sont dépassés, ils sont importants pour la construction de notre personnalité. Nous devons respecter nos parents, qui nous ont fait le plus grand cadeau de venir au monde.

Si vous devez choisir entre un partenaire et votre famille, choisissez votre famille. Ce sont eux qui vous soutiendront lorsque vous en aurez le plus besoin. Alors n'ayez aucun doute sur qui vous aime le plus. Mais si vous trouvez un bon partenaire, considérez-le également comme un excellent cadeau.

Les parents ne devraient pas contraindre l'amour de leurs enfants. Ils doivent donner de l'amour gratuit.

L'amour n'est requis en aucune circonstance. Même l'amour parental, qui est naturel, ne peut pas être exigé. Naturellement, nos enfants nous aimeront pour notre exemple, notre caractère et l'éducation que nous leur donnons. Alors ne vous inquiétez pas. Vos enfants vous aimeront beaucoup si vous le méritez.

J'ai eu deux parents merveilleux qui ne m'ont jamais laissé manquer de rien. Ils avaient leurs défauts, mais ils m'ont appris une bonne voie. Aujourd'hui, je suis une personne très épanouie grâce à leur influence. C'est donc ce que nous devrions laisser à nos enfants : l'éducation et notre exemple.

Nous ne devrions jamais faire de commérages sur la vie des autres, surtout quand cela nuit aux autres.

Connaissez-vous des secrets qui détruiraient la vie de quelqu'un ? Alors ne le dites pas. Dire cela peut perturber la vie d'une personne et vous n'avez pas à vous occuper de la vie des autres. Si d'autres ont fait des erreurs ou sont de mauvaises personnes, c'est leur problème et non le vôtre. Donc, s'occuper de ses propres affaires est le meilleur remède pour cela.

Il a des secrets qui doivent rester gardés pour le bien de tous. Si vous suivez cela, vos chances de réussir dans la vie sont beaucoup plus élevées. Alors bonne chance dans tous vos efforts.

Les rêves d'amour sont beaux, mais il vaut mieux tomber dans la réalité

Nous avons tous Des histoires d'amour à raconter et beaucoup de ces histoires sont des échecs, des rejets et une perte de temps. Lorsque nous souffrons de l'amour que nous ressentons, cela ne vaut tout simplement pas cet amour. La meilleure option est d'oublier cet amour et de chercher d'autres possibilités. Une chose est sûre : même si nous sommes seuls, nous devons avoir de l'amour de soi.

En comptant plus de dix mille refus, j'ai appris à me valoriser. Je m'aime par-dessus tout, je crois en Dieu et en l'amour des autres. Ma seule option était d'être seule. Aussi triste que cela puisse être, je me sens complète et épanouie dans toutes mes affaires. Je crois donc qu'un amour romantique pour moi serait juste un bon complément. Mais honnêtement, je ne crois pas en un tel amour.

Pourquoi est-ce que je ne crois pas en un tel amour ? Parce que je ne vois que des couples qui se séparent alors qu'ils sont mariés depuis plus de dix ans. Parce que je ne vois que de grandes trahisons encore et encore dans les meilleurs mariages. Pourquoi tricher si nous aimons tant nos partenaires ? Pourquoi avoir plusieurs liaisons alors que vous êtes heureux dans une relation ? Je ne sais pas comment la psychologie le définit, mais il doit s'agir de quelque chose lié à la dépendance sexuelle, à la variété sexuelle et au manque de caractère. Mais peut-être s'agit-il simplement d'un choix malheureux de l'individu reflétant une grande vérité : il ne nous aime pas. Connaître et comprendre cette grande vérité peut nous débarrasser définitivement de toutes les relations toxiques et nous concentrer sur nous-mêmes, sur notre bien-être. Penser à vous avoir comme priorité est la première étape pour être heureux dans un monde de plus en plus égoïste.

Comment faire face à un adolescent rebelle de treize ans ?

Avec beaucoup de patience, il est possible de faire face à cette situation. Les parents ont l'obligation de guider leurs enfants dans cette grande phase de changement. L'adolescence est un défi majeur dans nos vies. C'est à ce moment-là que nous abandonnons l'enfance et que nous entrons dans l'âge adulte. C'est une période de grandes découvertes sur la vie elle-même, le monde et soi-même. Soyez donc très prudent avec cela.

Devenir une femme est très compliqué pour tout le monde. Surtout dans une société extrêmement exigeante envers les femmes. Essayez d'attendre moins de vous-même et d'être la femme dont vous avez toujours rêvé. Soyez la femme ordinaire avec de grands rêves et de grands projets. Soyez la femme respectable qui nous rend fiers partout où nous allons. Soyez la femme héroïne, mais pour votre propre famille.

De nos jours, être une femme peut être une grande bénédiction au fur et à mesure que les femmes prennent conscience de leurs désirs, de leurs opinions et de leurs valeurs. Être une femme est un défi car elle est plus fragile et étiquetée comme moins compétente. Mais ne désespérez pas. Vous avez votre valeur inestimable pour Dieu, pour vous-même et pour le monde.

Il ne sert à rien de chercher la bagarre ou de cultiver la haine

Les combats et la haine ne font que rendre nos vies misérables. Et c'est ce qui donne lieu aux guerres et à la destruction dans le monde. Je ne soutiens pas la violence. Je pense que le dialogue est toujours possible dans les petits et les grands conflits. Je veux un monde de paix et d'harmonie pour nous tous.

Essayez de résoudre les conflits de manière pacifique. Tout le monde y gagne. Ensuite, vous vous sentirez bien à l'idée de répandre l'amour, la paix et la liberté où que vous soyez. Puissiez-vous être bénis dans tous vos projets.

Au cours de mes quarante années de vie, j'ai eu plusieurs désaccords. Pour ma part, j'ai pardonné mais je n'ai pas eu la même attitude de l'autre. En fait, lorsqu'il y a une rupture, il vaut mieux que chacun suive son propre chemin car la confiance a été rompue. Et lorsque la confiance est rompue, il n'y a aucun moyen de la réparer.

Repensez votre relation si votre partenaire montre des signes d'insatisfaction. Pourquoi rester dans une relation qui est mauvaise pour vous deux ? La vie est trop courte pour s'attacher à de petites choses. Il est donc préférable de prendre une décision définitive et de vivre sa vie en toute tranquillité.

Le monde n'est plus ce qu'il était, où les femmes étaient mariées aux hommes par convention sociale. Le monde n'est plus ce qu'il était, où les femmes dépendaient uniquement de leur partenaire pour survivre. Le monde n'est plus ce qu'il était, où chacun vivait par l'apparence pour plaire aux autres. Nous vivons une nouvelle époque dans laquelle nous découvrons l'amour de soi et renforçons nos relations personnelles. Être heureux est plus qu'une obligation à l'heure actuelle.

Pourquoi rejetez-vous votre mari ?

Lorsqu'une femme rejette son mari plusieurs fois, elle court le risque de détruire sa propre relation. Si vous ne voulez pas de votre mari, pourquoi rester avec lui et le soumettre à l'humiliation ? Mieux vaut se séparer et trouver quelqu'un d'autre qui vous intéresse.

Lorsque le mari se sent rejeté, il sort chercher ce qu'il n'a pas à la maison. Et il ne sert à rien de se plaindre de trahison dans ce cas. C'est vous-même qui avez provoqué cette situation. Soyez consciente et changez votre attitude envers votre mari si vous voulez vraiment rester mariée.

Mais si vous rejetez votre mari pour le plaisir d'être sexy, c'est un mauvais jeu psychologique. C'est un geste difficile et cruel qui peut anéantir vos prétentions. N'oubliez pas qu'il existe des millions de tentations pour accrocher votre mari. Ouvre les yeux, femme, ne rejette plus ton mari.

Comme c'est mauvais de sortir avec quelqu'un qui vous corrige tout le temps

Si votre partenaire vous corrige à plusieurs reprises ou tout le temps, c'est une relation toxique. Cela vous tourmente vraiment et vous embarrasse en public. Il est donc temps d'en finir pour votre propre bien. N'oubliez pas qu'il vaut mieux être seul que d'avoir quelqu'un qui vous tourmente tout le temps.

Sortez avec quelqu'un qui vous soutient et vous aime. Sortez avec quelqu'un qui vous comprend et vous offre de bons cadeaux pleins de sens. Sortez avec quelqu'un qui vous défend, même si vous n'avez pas tout à fait raison. Aimer, c'est vraiment prendre soin de l'autre sans rien attendre en retour.

L'homme qui ne tient pas ses promesses n'est pas digne de confiance

Une promesse est une dette. Lorsque nous faisons une promesse et que nous ne la tenons pas, nous perdons toute notre crédibilité. Ainsi, l'homme sans crédibilité n'a de respect de personne. Si vous ne pouvez pas tenir vos promesses, ne faites pas de promesses. Mieux vaut ça que d'être gêné devant la société. La parole d'un homme est une chose très importante.

Ne faites pas confiance à un homme qui n'a pas un mot. Quand vous vous y attendez le moins, vous serez déçu de manière absurde. Analysez l'homme par son histoire familiale, l'histoire de la société, l'histoire de sa vie. Ce n'est qu'à ce moment-là qu'il a la certitude qu'il est une bonne personne. Juste pour se sentir à l'aise et d'aller de l'avant avec le projet. Bonne chance à vous.

Lorsque vous vous passez de loisirs, il est facile d'économiser de l'argent

Si vous voulez réaliser un rêve : une maison, un terrain, un appartement, une voiture, mais que vous n'économisez pas, vous n'y arriverez jamais. Pour la plupart des Brésiliens, l'achat d'une maison est un grand défi. Mais si vous épargnez bien, vous pouvez atteindre ce grand objectif.

Notre premier objectif est d'avoir votre propre maison car c'est votre sécurité. Ensuite, nous avons essayé d'acheter une voiture pour faciliter les déplacements. Dommage que je n'aie jamais pu acheter un bien immobilier avec mon salaire. J'ai toujours beaucoup dépensé et il ne me restait pas assez d'argent pour acheter une maison ou une voiture. Eh bien, je n'ai pas de voiture et je vis dans une maison d'héritage. Je suis reconnaissante pour le travail de mes parents qui m'ont permis d'avoir aujourd'hui un toit au-dessus de ma tête.

Pour pouvoir travailler en entreprise, le salarié doit avoir l'esprit d'équipe

Un bon employé est compréhensif, travailleur, assidu, généreux, sait travailler en équipe et sait trouver des solutions aux problèmes. Un bon employé peut devenir un patron, mais sans la prétention de rabaisser qui que ce soit ou d'exclure qui que ce soit. Un bon patron sait écouter chaque demande qui lui vient au comptoir.

Même si vous avez une position plus élevée, n'utilisez pas votre pouvoir pour votre propre bénéfice. Considérez-vous comme l'égal des autres employés. Savoir aider les autres pour qu'ils grandissent dans la sagesse, la joie, la justice et la charité. Jouez le rôle du patron et de l'employé. Sachez être compréhensif avec tout le monde. C'est pour son bon rôle que la société l'admire. C'est pour votre bon travail que tout le monde vous aime et vous souhaite longue vie.

Pour être un bon travailleur, vous devez être bien avec vous-même

Quoi que nous fassions dans la vie, nous devons avoir une stabilité émotionnelle. Donc, si vous vous trouvez confus, comment allez-vous produire de manière significative ? Il est nécessaire d'être à jour avec la thérapie émotionnelle, d'avoir moins de problèmes, d'être capable de comprendre les diversités du monde, de se mettre à la place de l'autre, de donner des opportunités aux autres.

Le bon travail est fait par des gens riches en émotions. Le bon travail est fait par des gens qui n'ont pas peur de travailler. Le bon travail est fait par des personnes compétentes et qualifiées. Le bon travail est fait par des gens qui ont un esprit plein. Un bon travail est un travail qui paie bien le travailleur. Donc, le travail dans nos vies est très important, mais nous devons suivre certaines règles pour nous entendre.

Qu'apprenons-nous des nuits sombres de notre vie ?

J'ai vécu une grande nuit sombre, où j'ai oublié Dieu, ses principes et où je n'ai commis que des péchés. J'étais le gars qui aimait montrer mon cul quand j'étais adolescent et ça me fait honte encore aujourd'hui. Mais ensuite, j'ai réfléchi et j'ai vu que c'était mal. Je suis devenu un meilleur être humain, plus éthique, honnête et gentil avec les gens. Je suis devenu un fils exemplaire et j'ai rendu mes parents fiers.

Qu'apprenons-nous des nuits sombres de notre vie ? Nous apprenons que le péché est l'apprentissage, mais que sans faire d'erreurs, nous ne pouvons rien apprendre de significatif. Dès l'adolescence, nous vivons des expériences qui nous apportent beaucoup et font de nous des personnes expérimentées. Aujourd'hui, je sais que je suis sur la bonne voie. Ma vie est encore pleine de grands défis : l'un d'entre eux est de vivre de mon art. Mais même si je ne vis pas de l'écriture, je pense que ce que je dis dans les livres est important et devrait être catalogué pour les générations futures. Je suis fier de mon travail littéraire et je le considère comme l'une des plus grandes collections littéraires au monde. Je demande donc à tous ceux qui veulent me soutenir, j'aimerai beaucoup votre intérêt.

Avoir de nombreuses relations est-il un signe d'amour, de bonheur ?

Pas toujours. Parfois, une personne comme celle-ci n'a pas vraiment de respect pour elle-même. C'est une personne pleine d'indigence et d'affirmation de soi. Elle répare donc ces relations pour joindre les deux bouts leur besoin affectif. Est-ce que cela résout son problème ? Pas forcément. C'est encore pire. Ce qu'une personne a besoin de développer, c'est son amour-propre, son amour pour Dieu et son amour pour son prochain.

Lorsque nous avons de l'amour pour nous-mêmes, nous avons plus de patience et d'attention pour ceux avec qui nous sommes en relation. Avoir un petit ami implique de nombreux problèmes philosophiques et personnels auxquels nous ne sommes parfois pas préparés à faire face. Il nous détruit donc petit à petit, sans aucune chance pour notre rationalisme sauveur. La réflexion fait beaucoup de bien avant toute autre chose.

Il est bon de profiter d'une nouvelle relation. Tout est nouveau dans une relation jusqu'à l'âge de trois ans environ. Mais au fil du temps, la relation s'effiloche et parfois les conjoints cherchent des aventures en dehors du mariage. C'est pourquoi je dis que chaque relation a sa date d'expiration de nos jours. Rien n'est vraiment éternel.

Comprendre que la relation est terminée est une grande vertu. Peut-être qu'un changement dans votre vie vous apportera plus d'avantages et que vous trouverez chez un nouveau partenaire ce que vous attendiez. Il est toujours temps de recommencer à zéro et de renouveler les attentes. Nous sommes tous des métamorphoses ambulantes comme des chenilles.

Pierre du Hollandais

Divin

Qu'est-ce que tu aimes le plus faire en dehors du travail ?

Néerlandais

Le travail m'ennuie. Alors, je viens me baigner dans la rivière.

Beatriz

Mais ne pas manquer le travail n'est-il pas une mauvaise chose ? Est-ce un truc d'homme décent ?

Néerlandais

Je ne travaille que ce qui est nécessaire. Quand ça me dérange, j'arrive à la rivière et je descends vers le rocher.

L'esprit de la montagne

Que ressentez-vous dans la rivière ?

Néerlandais

Je me sens totalement connectée à la nature. Je vois que les carrières d'argile sont ma maison. Même si mes ancêtres sont partis, je suis toujours reconnaissant d'avoir l'occasion de rester ici. J'aime tout ce que Dieu m'a donné.

Renato

J'ai raison, ma chère. Nous sommes jeunes et nous avons cette perception aiguë de la nature. Allons-y. Puissiez-vous bien profiter de vos loisirs. Travailler, c'est bien, mais pas tellement.

Divin

Que pensez-vous de l'avenir ?

Néerlandais

Je veux immortaliser mon nom dans l'histoire des carrières d'argile. Je veux qu'on se souvienne de moi comme du Hollandais de la pierre, d'un personnage folklorique. Laisser une trace sur le monde, c'est ce que je veux le plus.

Divin

Vas-y, mon pote. Tout le meilleur pour vous. Puissiez-vous persévérer dans votre objectif et votre portée. Cet endroit a une culture indescriptible, qui nous émeut beaucoup. Vive les carrières d'argile !

'   C'est ainsi qu'a été immortalisée l'histoire de la pierre hollandaise dans les carrières d'argile. Un personnage remarquable de l'époque coloniale où les Hollandais dominaient l'État de Pernambuco.

Pierre de la jeune fille

Divin

Pourquoi criez-vous, jeune fille ?

Fille

J'ai perdu tout ce qu'une fille peut avoir : sa famille, sa honte, sa réputation. Tout me semble nébuleux.

Beatriz

N'abandonnez pas, jeune fille. Chacune d'entre nous, les femmes, a sa magie et son enchantement. Ne laissez pas la dépression vous submerger comme ça. Vous avez tant à nous apporter.

Fille

C'est très difficile de contrôler cette révolte que je ressens. Pourquoi sommes-nous ainsi punis par les hommes ? Pourquoi avons-nous ce rôle de soumission ? Pourquoi est-ce que quand quelque chose ne va pas, c'est de notre faute ? Je voulais faire l'expérience de la liberté et de moins de pression quotidienne. On dirait que c'est beaucoup demander.

L'esprit de la montagne

Vous avez votre valeur personnelle. Croyez en vous et ne vous souciez pas des critiques. Soyez la femme simple que vous avez toujours été et réveillez votre éclat intérieur. Les femmes de l'intérieur du Pernambuco ont beaucoup de valeur.

Fille

Je comprends ma valeur, mais je me sens toujours triste. Je veux quitter ce monde comme une forme de protestation. Je veux fermer la bouche des critiques et marquer l'histoire.

Renato

Ne vous tuez pas ! Pensez à ce qui est le mieux pour vous-même. La vie est trop belle pour être gâchée. Réagir !

Fille

J'ai déjà fait ma part. Mais la société est assez cruelle. À cause d'une erreur de ma part, j'ai été beaucoup jugé et condamné. Je te remercie pour la force que tu me donnes, mais personne ne comprend ce que je ressens. À quoi sert la vie sans honneur ? Je me réponds : rien !

Divin

Suis ton destin, chère fille. Mais sachez que nous vous aimons, quelle que soit la décision que vous prenez. Vous faites partie de la culture des carrières d'argile et serez à jamais éternisés dans nos cœurs. Que Dieu vous bénisse.

La nuit, la jeune fille s'est suicidée sur la plage de Carrières d'argile. La légende raconte que les habitants entendent des cris d'angoisse provenant de la plage les nuits de pleine lune. Elle a rencontré son destin, mais dommage que cela ait été si douloureux pour tout le monde. En son honneur, la pierre sur laquelle elle est morte s'appelle la pierre de la jeune fille.

Divin

Êtes-vous sûr de vouloir sacrifier ce pauvre cheval ?

Contremaître

Il souffre d'un cancer. Il est condamné à mort. Mettons fin à vos souffrances.

Renato

Voyez comme il souffre. On dirait qu'il ne veut pas mourir. Miséricorde. Est-ce vraiment nécessaire ?

Contremaître

C'est difficile pour moi aussi, mais c'est ce qu'il y a de mieux pour lui aussi. Au moins, la souffrance est temporaire.

Beatriz

Les chevaux ont aussi des sentiments et une âme. Aiment-ils leurs propriétaires et l'obtiennent-ils en retour ? Quelle tyrannie.

Contremaître

C'est un animal qui m'a beaucoup aidé mais qui n'est pas en mesure de le faire à cause de la maladie. J'essaie de vous aider.

L'esprit montagnard

Son esprit souffrira beaucoup de l'amour de son propriétaire. Le corps semble résister aux blessures. Il souffre mais refuse de mourir. Il se sent épuisé, malade, mais on dirait qu'il est toujours debout.

Contremaître

C'est le cheval le plus difficile à mourir. Je vais donc précipiter le processus. Il doit reposer en paix pour oublier cette vie mondaine de souffrance. Va en paix, Lipe, nous nous retrouverons au ciel.

Avec un autre coup bien ciblé, le cheval finit par tomber. Toutes les personnes présentes pleurent la perte de l'animal qui était aimé de tous Carrières d'argile. Il est entré dans l'histoire comme une légende folklorique de la ville. Le cheval est parti, mais l'esprit continue de hanter l'endroit pour l'éternité.

Pourquoi de nombreux artistes regrettent-ils d'être célèbres ?

Je pense que la principale raison pour laquelle vous regrettez d'être célèbre est l'exposition sur Internet. Lorsque notre vie personnelle est exposée, nous voyons qu'être célèbre a des avantages et des inconvénients. Ainsi, en étant célèbres, nous avons un temps facile à réaliser nos rêves et à obtenir des avantages financiers. Mais nous nous exposons aussi davantage, en faisant connaître nos vies à de nombreuses personnes. Cela peut être excitant, ou cela peut aussi ne pas être cool.

Personnellement, je préfère une vie simple. Je préfère ma vie à la ferme, où j'ai la paix, la tranquillité et l'harmonie. Mais il est tout à fait vrai que ne pas être célèbre entraîne des pertes financières et de marché. Je ne peux pas, par exemple, vivre de la littérature parce que presque personne ne connaît mon travail. Je ne peux pas non plus faire partie des médias numériques ni même être rapporté dans la presse. C'est un inconvénient de ne pas être célèbre. Mais je suis heureux dans ma pauvreté et dans mon anonymat.

La peur nous emprisonne. La peur nous amène à canaliser les énergies négatives. La peur se met donc beaucoup en travers de nos vies. Si nous n'avons pas peur, nous allons faire face aux problèmes et nous allons tout surmonter. Même si la réponse est une trahison, un rejet ou une mort. Nous vivrons avec la douleur et la perte, mais nous serons capables de la surmonter.

Ayez le courage de vivre votre vie. Ayez le courage de prendre les bonnes décisions. Ayez le courage et la foi d'attendre le bon moment. Ayez le courage d'être qui vous êtes. Ne portez pas de masque sur vous-même ou votre sexualité. Les bons et ceux qui vous aiment vous soutiendront. Ainsi, ceux qui t'ont rejeté n'étaient que des restes. Vestiges d'un passé dont vous ne vous souviendrez pas. Vous êtes plus important qu'eux tous.

Nous sommes des gens complets. Évitez donc le manque

Se sentir fragile, dépendant et dans le besoin peut nuire à votre relation. Apprenez à vous aimer, à vous valoriser et à être une personne complète. Soyez heureux pour vous-même sans dépendre des autres. Lorsque vous atteindrez ce point d'équilibre, vous serez prêt à vivre n'importe quelle relation.

Quand l'autre n'est qu'un complément, c'est une relation idéale. Être indépendant financièrement et psychologiquement. Si tout va mal et que l'autre personne vous abandonne, vous aurez votre propre salut. Vous serez en mesure de surmonter la perte rapidement parce que vous serez une orange complète. Alors sentez-vous heureux d'être qui vous êtes, avec beaucoup d'amour pour vous-même.

Nous n'aimons pas y penser. Mais la vérité est que la seule grande certitude que nous ayons dans la vie est la mort. La mort est le destin de tout ce qui est vivant sur terre. Et comment faire face à cette réalité ? Profiter intensément de chaque jour de la vie. Pardonnez, aimez, soyez généreux, soyez charitable, changez d'emploi, voyagez un peu, remontez-vous le moral même si vous êtes confronté à la dépression. Vous avez de la valeur et vous devez vous aimer d'abord et avant tout.

Ne pensez pas à la mort. Vivez chaque instant de votre vie avec la joie éternelle. Faites le bien tant que vous le pouvez afin de laisser de bons souvenirs à ceux qui vous aiment. Faites en sorte que chaque instant compte et n'ayez pas trop de soucis. Les soucis, la peur et la honte enferment nos âmes dans un environnement fétide. Laissez donc votre âme libre pour vous offrir le meilleur de la vie.

Penser à la mort est déprimant. Mais s'il n'y avait pas la mort, nous n'aurions pas la vie. Tout doit avoir une fin pour que d'autres personnes puissent avoir une chance de vivre sur terre. Par conséquent, il n'y a personne d'irremplaçable. Le lendemain, ils sont remplacés et la vie continue. Tout le matériel que vous possédiez est donné ou hérité. Tout ce dont vous étiez jaloux et que vous ne vouliez pas prêter finira entre d'autres mains. En quelques années, vous êtes oublié par la plupart des gens. Moi, je n'ai pas d'enfants. Ainsi, mon cadeau au monde sera mes livres qui resteront pour la postérité. C'est pourquoi je prends le travail de cet écrivain si au sérieux. Je demande aux lecteurs de me soutenir pour que je puisse continuer à produire de plus en plus de contenu.

La vieillesse est quelque chose qui viendra pour certaines personnes. D'autres n'atteindront pas la vieillesse parce qu'ils seront morts. Alors, comment faire face à la vieillesse ? Affrontez-le avec sobriété et animosité. La vieillesse est le couronnement d'une vie pleine d'histoires à raconter. Et qu'il est bon d'atteindre la vieillesse avec la santé, la volonté et la détermination de gagner. Nous pouvons conquérir même les grands rêves et partager de beaux moments de vie avec ceux que nous aimons. Vous n'êtes pas encore mort et vous pouvez encore très bien profiter de la vie.

Je me considère comme vieux et encore prêt à faire certaines choses. Je vais certainement écrire des livres parce que c'est mon grand destin depuis que je suis enfant. Je vais aussi m'occuper de ma ferme, de mes animaux, de ma famille et peut-être vivre un grand amour. J'ai un grand espoir que je serai bien dans ma vieillesse et que je ne dépendrai pas de l'aide des autres. Je veux être un vieil homme indépendant avec la capacité de faire ce que je veux. Tout est possible pour ceux qui croient en Dieu.

Je crois que dans ma vieillesse, je mangerai des fruits que je plante maintenant. J'aurai ma vie stabilisée, à la retraite et avec beaucoup d'envie de vivre. Je serai toujours un petit rêveur, avec un esprit jeune bien que physiquement plus âgé. L'âge n'est que des chiffres et rien de plus. Ce qui compte, c'est que nous soyons jeunes de cœur, avec des projets pour l'avenir et le présent. Je serai donc toujours heureuse avec moi-même, malgré les grands défis auxquels je peux être confrontée. Vivez la vie avec joie.

Laissez votre famille, vos amis ou même votre partenaire être libres. Ils ont ce droit qui leur a été donné par Dieu. Alors pourquoi essayer de les en priver ? C'est illégal et injuste. Si vous trouvez quelque chose qui ne va pas, faites-le nous savoir. Mais ne voulez jamais contrôler la vie de qui que ce soit. Pas même si cette personne est votre enfant.

Lorsque nous sommes libres, nos expressions artistiques sont préservées. Quand nous sommes libres, nous nous sentons libres de faire nos propres choix. À tort ou à raison, ils construiront en nous une personnalité guerrière et conquérante. Nous serons des gens expérimentés, capables de savoir ce qui est bien et ce qui est mal. Il n'y a donc pas d'autre moyen possible. C'est en faisant des erreurs que l'on apprend et que l'on avance.

Je n'ai pas encore ma propre personnalité. Je n'ai jamais eu ça en vivant avec ma famille. Je vivais avec mon père, ma mère et mes frères et sœurs. Après le décès de mon père et de ma mère, je vis avec mes frères et sœurs. Et comme mes frères et sœurs sont plus âgés, ce sont eux qui dirigent la maison. Je ne suis qu'un spectateur des choses parce qu'ils ne m'écoutent même pas.

Vivre en famille présente des avantages et des inconvénients. L'avantage, c'est qu'ils me tiennent compagnie. L'inconvénient est de ne pas pouvoir recevoir d'amis ou de petits amis chez vous. Je comprends que vivre avec d'autres personnes me limite à beaucoup de choses, mais c'est la meilleure option pour moi. Je ne veux pas être seul ou impuissant.

Ma frustration dans les relations amoureuses m'a montré que le vrai soutien que j'ai vient de ma famille. Quand j'en avais le plus besoin, les étrangers ne me soutenaient pas. Je suis donc reconnaissante pour tout ce que je vis avec ma famille. Je suis reconnaissant envers tous ceux qui ont participé à ma vie, les membres de ma famille ou des étrangers. J'ai un peu de chaque personne dans les expériences que j'ai vécues. C'est pourquoi je m'appelle l'éternel apprenant.

Comment bien s'entendre en famille

La famille est la première famille nucléaire à laquelle nous participons dès notre naissance. C'est ici que nous apprenons les bases du respect, de la politesse et de la responsabilité. C'est là que nous apprenons à aimer inconditionnellement, à socialiser et à avoir une certaine vision du monde. La famille est le début de tout.

Habituellement, lorsque nous sommes en danger ou dans le besoin, ce sont les membres de notre famille qui nous aident. La famille a donc une importance stratégique dans la vie de chacun d'entre nous. C'est notre base de soutien pour tout. Donc, si vous avez une famille, considérez-la comme un gros prix.

Au cours de mes quarante années de vie, je dois avouer que ceux qui m'ont soutenu et qui ont été à mes côtés à tout moment ont été des membres de ma famille. Les étrangers, en revanche, n'ont pas participé activement à mon soutien personnel. Les rares fois où j'ai eu des contacts avec des inconnus, c'était à l'école, au travail et parfois chez moi. En d'autres termes, les fois où quelqu'un m'a demandé de l'aide, c'était par intérêt pour quelque chose. Mais dès qu'ils le font, ils disparaissent tout simplement de mon milieu de vie. Il en va de même pour la plupart des gens. Ils ne vous cherchent que par intérêt. Après cela, vous tombez sur le bord du chemin.

Aller visiter la plantation de tomates

Afonso Pena et son père sont allés travailler dans les champs pour la première fois. C'était un adolescent de douze ans qui étudiait au lycée tandis que son père était un fermier bien connu dans la région. Ils marchaient tous les deux côtes à côte sur la montagne locale. Il y avait une bonne ambiance entre eux car ils se respectaient et s'aimaient comme une famille.

Afonso Pena

J'ai vraiment hâte d'y être, papa. Qu'avez-vous l'intention de m'apprendre en ce jour de travail ?

Domingos Pena

Je veux t'apprendre ce que doit être la vie d'un honnête homme, mon fils. Je reconnais que vous êtes un jeune homme talentueux et que vous avez besoin d'étudier et de poursuivre une carrière. Mais il est important que vous connaissiez nos origines et que vous participiez d'une manière ou d'une autre à nos revenus. Je veux vous apprendre la valeur du travail et comment vous comporter face à lui.

Afonso Pena

C'est très important. Je sais que notre gagne-pain provient des revenus de la ferme et de la mine d'or. Je veux apprendre tout ce dont j'ai besoin sur cette question financière. Mais d'abord, comment suis-je censé être un grand homme ?

Domingos Pena

Il doit avoir de l'honnêteté et du caractère. Vous devez vous acquitter de vos obligations et de vos responsabilités. Il doit aimer et protéger sa famille et sa femme. Il doit travailler pour joindre les deux bouts et suivre le rythme. Il doit être gentil, charitable, avoir du respect et de l'amour pour les autres. Mais vous devriez toujours être leur priorité, car si vous ne le faites pas, personne ne le fera.

Afonso Pena

Je commence à comprendre, papa. Cela m'intéresse beaucoup. Je m'efforcerai d'être un bon apprenant et je suis sûr que ces enseignements seront précieux pour mon développement personnel. Continuons à marcher et je veux arriver bientôt à la plantation de tomates.

Le voyage continue. Dans l'esprit du jeune Alfonso, il y avait de nombreuses questions sur lui-même, sa famille et son rôle dans la société. C'était l'esprit d'un jeune homme de la classe moyenne, habitué à la commodité de beaucoup de choses. Mais il avait besoin de comprendre tout ce qui se passait autour de lui et il avait l'aide de son père pour le faire.

Ils effectuent un quart du parcours. Cette nouvelle réalisation lui ouvre les yeux sur les choses simples de la vie comme un beau coucher de soleil, le vent frappant leurs visages, le chant des cigales, les rochers tournants, bref, le plaisir du contact avec la nature qui s'ouvrait à leurs yeux. Il a emporté avec lui la décision d'étudier tout cela en profondeur.

Plus loin, ils font la moitié du parcours. Puis ils font un arrêt rapide sous un manguier. Ils en profitent pour manger quelques fruits et se rafraîchir.

Domingos Pena

Regarde tous les efforts que nous faisons, fiston. C'est la même chose pour n'importe quelle entreprise. Aucun d'entre nous n'a la vie facile dans ce monde. Jour après jour, notre routine nous étouffe et nous montre que le travail en vaut la peine, mais c'est aussi un grand paradoxe. Pourquoi travaillons-nous ? Pourquoi faisons-nous tant d'efforts ? Pour réaliser les rêves !

Afonso Pena

Mon rêve est de devenir avocate et politicienne. Et quel était ton rêve, papa ?

Domingos Pena

Mon rêve était d'être père de famille, agriculteur et mineur. J'ai eu exactement ce que je voulais. Comment ai-je fait ? Avec beaucoup de détermination et de travail acharné. Rien n'est vraiment facile.

Afonso Pena

Je suis l'un de vos admirateurs. Je suis fier d'être l'enfant et le compagnon de vos rêves. J'ai l'impression que le Brésil a besoin de quelqu'un comme moi pour changer et grandir. Je veux accomplir mes devoirs pour que le peuple brésilien ait un meilleur espoir de jours meilleurs.

Domingos Pena

Je vais vous aider dans ce processus d'adaptation. La route est longue et semée d'embûches. Mais si vous avez le courage et la volonté de faire comme vous l'avez fait aujourd'hui, nous pouvons avoir de l'espoir. Un bon fils peut être un bon avocat et un bon politicien. Depuis que tu es né, j'ai l'impression que tu vas devenir une grande star.

Afonso Pena

Merci, papa. Je l'espère. Continuons avec la promenade. Le temps passe vite.

La marche est reprise avec encore plus d'énergie par les deux. Rapidement, ils surmontent tous les obstacles qui se dressent devant eux. Dans son passage à travers chacune d'elles, il reste ce goût mystérieux des bonnes conquêtes, des joies et des victoires. Et tout cela était très nouveau et stimulant pour chacun d'entre eux. Ils se sentaient heureux, avec de nouvelles Joyeux et prêt à relever tous les défis auxquels ils étaient confrontés. C'est ainsi qu'ils effectuent les trois quarts du parcours.

La dernière partie du parcours est parcourue avec une certaine tranquillité. Dès qu'ils arrivent à la plantation de tomates, ils commencent à inspecter le travail des employés et à aider aux tâches. C'était une bonne activité qui les distrayait et leur apportait de bons liquides. Il y avait beaucoup de gens qui s'engageaient à faire de leur mieux et c'était bon pour le succès de la cause. Ils passent près de cinq heures dans ce travail, participant à tout. À la fin de la journée, ils se sentent fiers d'eux-mêmes et prêts à assimiler tout ce qu'ils y ont appris. Le lendemain, ils se rendaient à la mine d'or pour inspecter la deuxième entreprise de la famille.

Dans la mine d'or

Ils arrivent à la mine d'or souterraine. Avec les ouvriers, ils utilisent les machines pour extraire l'or. Puis la conversation commence.

Afonso Pena

Cet endroit est mystérieux et incroyable. Qu'est-ce que tu veux m'apprendre ici, papa ?

Domingos Pena

Je veux enseigner la valeur de la terre, des ressources naturelles et de leur préservation. Le Brésil est riche en ressources naturelles et une bonne gestion est capable de préserver cet état pendant longtemps. En tant que politicien, vous pouvez encourager cela d'une manière particulière. Regardez les conditions de travail des mineurs. Donnez-leur leurs droits connexes, leurs garanties d'une vie durable, leur retraite et d'autres droits tels que l'éducation et la santé. En respectant les autres, nous pouvons créer de la richesse pour tous.

Afonso Pena

Maintenant, je comprends tout, papa. Vos responsabilités en tant que chef de famille sont grandes, et je respecte cela. J'aurai besoin de votre soutien sur mon chemin de croissance et de développement. Merci beaucoup de m'avoir montré cela.

Domingos Pena

Inutile de dire merci. J'ai l'impression d'avoir atteint mon objectif. Maintenant, vous savez d'où vient tout notre confort et tout ce que nous consommons vient de nos terres. Chéris la terre, mon fils. Elle est notre mère depuis sa naissance. La nature est sage et nous devrions toujours l'écouter.

Afonso Pena

D'accord, papa. Maintenant, nous pouvons rentrer à la maison. Je suis prêt à poursuivre mes rêves avec plus de volonté. Je suis sûr d'être sur la bonne voie. Merci beaucoup pour tout.

Après des heures passées à la mine d'or, ils rentrent chez eux. Le petit apprenti politicien avait encore beaucoup de questions à poser. Chaque chose était en son temps. Pour l'instant, le garçon était encore jeune et avait beaucoup à apprendre.

Réunion de famille

Afonso Pena termine ses études secondaires. Maintenant, j'allais poursuivre des études universitaires. Il a donc réuni la famille pour communiquer cela.

Afonso Pena

Je vais déménager à Saint-Paul. Je veux aller à la faculté de droit et apprendre les lois. Après cela, je deviendrai un politicien et je remettrai cette nation sur les rails. Je tiens à vous remercier, mes parents, pour votre soutien émotionnel et financier jusqu'à présent.

Je tiens également à remercier tous les employés de cette ferme qui ont toujours été si fidèles. Ensemble, nous avons une grande force.

Ambrosine

J'ai toujours su que j'étais sa femme de chambre préférée. En tant que femme noire, je vous demande de vous battre au gouvernement pour l'abolition des esclaves. Nous avons besoin de notre liberté pour mieux exister. Je demande donc votre soutien, mon cher fils.

Afonso Pena

C'est vrai, Ambrosine. Merci beaucoup pour votre dévouement à votre travail et votre amour pour moi. Je m'engagerai dans la lutte contre l'esclavage, contre la pauvreté et contre les injustices. C'est pour ça que je vais suivre une formation d'avocat.

Ana Pena

N'oubliez jamais vos parents. Venez nous rendre visite en vacances. Nous sommes fiers de vous.

Domingos Pena

Espérons que vous réussirez. Vous êtes prêt à conquérir le monde parce que vous êtes un garçon fait. Vas-y, fiston. Ça va bien se passer.

Afonso Pena

Merci à tous. Je promets d'être un homme juste et de ne pas vous laisser tomber.

Afonso fit ses valises et partit pour Saint Paul pour étudier. Un nouveau monde s'ouvrait pour le jeune homme qui voulait tant réussir dans la vie. Une grande chance pour lui.

Rui Barbosa

Pourquoi veux-tu faire de la politique, Alfonso ?

Afonso Pena

Je voulais changer la réalité du Brésil, qui est catastrophique. Nous vivons dans une période de stagnation économique et sociale où personne ne grandit. Je veux donc me lancer en politique pour lutter contre les injustices sociales, l'esclavage, la pauvreté et améliorer les perspectives d'ensemble.

Rui Barbosa

Très bien. Je veux aussi être actif en politique pour faire ma part. Nous devons nous unir pour améliorer le Brésil.

Joaquim Nabuco

Nous devons améliorer la santé et l'éducation, qui sont des domaines précaires. Nous devons stimuler l'économie et créer des emplois. Ce n'est qu'ainsi que le Brésil se développera.

Castro Alves

Nous devons stimuler le cinéma, la musique, la littérature et les arts en général. Le monde respire l'art qui est un moyen pour les gens de s'exprimer. Nous allons transformer le Brésil en un pays développé, plein de gens éduqués.

Rodrigues Alves

Nous fonderons la presse académique, pour débattre de questions politiques, juridiques, éducatives et personnelles. Nous devons mettre en place un appareil pour que ce pays se réveille. C'est pourquoi la connaissance des lois est si importante.

Afonso Pena

Merci à tous. L'université a été d'une importance capitale pour mon apprentissage personnel. Nous établissons des relations précieuses que nous garderons avec nous toute notre vie. Nous allons bientôt changer ce pays.

Carrière politique d'Afonso Pena

Afonso Pena a eu une brillante carrière politique. Il a occupé les fonctions publiques suivantes : Il a été conseiller municipal et maire de la ville de Belo Horizonte. Il joua un rôle important dans ces postes, se distinguant par le leadership, l'intelligence, la persuasion et l'avancement des classes inférieures. En tant que ministre de la Justice, il a contribué au progrès de la nation, mettant à profit ses connaissances en droit pour promouvoir un pays moins inégalitaire et plus juste.

Mais son point culminant a été en tant que président du Brésil de 1906 à 1909. Son rôle a été primordial dans le développement du pays. Comme il l'avait promis, il a combattu les inégalités sociales, l'esclavage, la pauvreté, le développement économique constant.

Afonso Pena a marqué le pays comme un dirigeant qui a soutenu la justice, la santé et l'éducation. Cette période a été une période de grande prospérité et de changement pour tous. Pour cette raison, on se souviendra toujours de lui comme d'un grand président.

Nous avons tous une belle histoire à raconter. En général, nous qui sommes pauvres, nous commençons par le bas jusqu'à ce que nous étudiions, grandissions, travaillions et ayons une vie digne. La plupart des gens se battent dur pour leurs rêves et leurs réalisations sont le résultat de beaucoup d'efforts. Ainsi, lorsque nous réalisons quelque chose, quelque chose comme un film joue dans notre tête. C'est reconnaître que nos fruits conquis sont le grand prix que la vie nous a donné.

Je suis fier d'être homosexuel, pauvre, du nord-est du Brésil. Je suis fier d'aimer les mendiants, les Noirs et les femmes. Je suis fière de faire la charité avec les enfants des rues, avec les plus pauvres, d'aider ma famille et de m'aimer par-dessus tout. Je suis fier d'être l'exemple d'un être humain incontesté dans ses vertus. Donc, ce qui compte le plus chez un être humain, c'est son caractère, sa bonté et sa dignité. J'en ai à revendre.

Une belle histoire de défis à surmonter

Heriberto est né dans une famille d'agriculteurs de l'intérieur de l'État de Pernambuco. Les conditions dans lesquelles il est né sont précaires. Les problèmes financiers et logistiques étaient importants et il a dû s'adapter dès son plus jeune âge à une vie simple et sans avantages. Malgré cela, il vivait heureux à la campagne avec ses parents et ses deux frères.

Son enfance a été douloureuse. En même temps que j'étudiais à l'école publique, je faisais des petits boulots. Il était agriculteur, maçon, ouvrier du bâtiment, nettoyeur. Tout ce qui lui rapportait de l'argent et qui en valait la peine, il acceptait. Il apprenait donc les bases du caractère, de l'honnêteté et du travail dans la vie.

Au lycée et au lycée, son désir d'étudier la médecine a grandi en lui. Cependant, comme sa famille était très pauvre, ce rêve était très difficile à réaliser. Mais il semble que quelque chose lui ait donné de la force et qu'il se soit déployé. Il a eu du mal à étudier pendant son temps libre et est devenu un étudiant dévoué et compétent. Avec l'importance à l'école, il a reçu plus d'encouragements de la part des enseignants et des parents qui croyaient également en son rêve. Et le temps passa vite.

C'est l'heure de l'examen d'entrée à l'université. Il s'est inscrit et s'est préparé pendant trois mois. Il a fait le test et a attendu le résultat, qui était positif. Il a été approuvé dans les vacances des quotas publics. Ce fut le début d'un grand voyage de près de dix ans avec beaucoup de travail, de sacrifices quotidiens, de nombreux défis financiers et personnels. Mais en fin de compte, tout cela en valait la peine. Il a obtenu son diplôme de médecin et grâce à son travail, il peut aider ses parents et ses frères et sœurs. Aujourd'hui, il est la fierté de la famille et un symbole que les rêves sont possibles. Bravo à ceux qui croient en l'éducation.

Combien la maturité m'a changé

J'ai accompli mes quarante ans de vie. Ce sont exactement quatre décennies d'une belle trajectoire, mais pleine de difficultés et de défis. Quand je regarde en arrière et que je vois à quel point j'ai grandi, je suis reconnaissant d'avoir atteint ma maturité à l'âge de quarante ans. Aujourd'hui, je vois que cela valait la peine de vivre chaque chose dans ma vie et de grandir avec elle.

Aujourd'hui, j'ai moins d'attentes en amour et plus de rationalité. Mais je n'ai atteint ce niveau émotionnel qu'après beaucoup de souffrances dans les rejets amoureux. Il y a eu des années d'incompréhension, de désespoir, de doute. Mais je suis venu ici en sachant que pour être heureux, je ne dépends que de moi-même et de personne d'autre.

Ce n'était pas facile du tout. J'ai versé des rivières de larmes pendant que mes bourreaux se moquaient de moi. J'ai souffert du rejet de mes collègues, de mes camarades de classe, de ma famille. Personne ne comprend l'homosexuel. Ils disent qu'ils le respectent, mais ils s'en vont. Ils ne veulent aucun type de contact ou d'amitié. Nous sommes expulsés du groupe simplement à cause de notre orientation sexuelle. C'est un monde trop fou et cruel. Pour cette raison, le taux de suicide chez les homosexuels est très élevé. Nous sommes en train de perdre nos jeunes à cause des préjugés.

Mais j'ai de l'espoir. J'espère que le monde évoluera, mais je m'attends à ce que ce ne soit pas un processus facile en raison des croyances religieuses de la majorité. Au fur et à mesure que le monde évoluera, nous serons moins religieux et plus humains. Nous aurons plus d'amour au lieu de jugement. Mais c'est un long chemin à parcourir. Que les nouvelles générations apprennent à respecter davantage leurs voisins.

Comment voyez-vous un amant ?

L'amant est le point de discorde et de joie. C'est une personne qui a besoin d'affection et d'amour qui s'engage avec une personne mariée. Sans entrer dans le fond de l'affaire, l'amant remplit fidèlement son rôle dans la vie du couple en question. Avoir un amant signifie que le mariage n'est plus si intéressant. Avoir un amant signifie que vous voulez chercher à l'extérieur la joie perdue dans un mariage raté.

Je ne vois pas la figure d'un amant comme une figure coupable. Je ne vois pas l'amant comme le seul responsable de la destruction d'un mariage. Peut-être que la figure de l'amant est le salut d'un mariage raté car une fois qu'il est terminé, chacun est libre de suivre son propre destin.

Bien que je ne blâmerais pas l'amant, je ne serais pas l'un d'entre eux non plus. Dans mon esprit, j'ai toujours été ma priorité. Donc, être le deuxième choix d'une personne n'a jamais été mon plan. Bien que je ne veuille pas être meilleure que quelqu'un d'autre, je préfère être célibataire que d'avoir à être l'amant de quelqu'un. C'est simplement un choix personnel de ma part.

L'histoire de deux amants

Kitty était au bord de la mer sur la plage de Tijuca à Rio de Janeiro. Ses journées étaient paisibles, calmes, mais froides et monotones en raison du fait qu'elle était une femme célibataire depuis longtemps. Pendant de nombreuses années, elle a rêvé de gagner l'amour, d'avoir un prince charmant pour elle toute seule. Mais les années ont passé et rien de concret ne s'est passé. Pendant cette période, elle a eu des relations éphémères qui ne répondaient pas à son humeur. Elle était seule, perdue dans des errances qui la laissaient dans une bulle, dans l'obscurité profonde de son âme.

Puis, un soir, dans un bar au bord de la plage, elle a rencontré un homme nommé Wenceslas. C'était un homme très beau et magnifique avec des yeux couleur miel, des joues rebondies, une grande stature, une carrure virile, une peau brune et un sourire captivant. Les deux hommes commencèrent à parler pendant de nombreuses heures d'affilée. Dès le début de la conversation, ils se sont rendu compte qu'ils avaient une affinité et une bonne alchimie entre eux. C'était incroyable de voir comment deux étrangers pouvaient si bien s'entendre. Ils ont partagé des joies, des histoires personnelles, des secrets, des désirs et des objectifs pour l'avenir. Plus tard dans la nuit, ils ont échangé leurs numéros de téléphone et leurs adresses électroniques, et se sont ajoutés l'un à l'autre sur les réseaux sociaux. C'est le début d'une relation prometteuse.

Kitty découvrit que Venceslas était fiancé à une autre femme. Mais malgré cela, elle n'a pas pu résister au désir qu'elle ressentait de partager quelque chose de plus grand avec lui. C'est ainsi qu'elle est devenue sa maîtresse. Elle savait qu'elle s'engageait sur un chemin difficile. Elle savait qu'elle allait être jugée comme une destructrice de foyer. Elle savait qu'être amant était comme une épée à double tranchant. On ne sait jamais ce qu'aurait réellement la fin. Dans son esprit, être avec lui était un moyen de trouver un peu de bonheur dans sa vie, car elle n'a jamais su ce que c'était que d'avoir une famille. Elle avait besoin de combler son besoin émotionnel depuis longtemps, et elle ne voyait pas de meilleure opportunité que celle-ci.

Au fur et à mesure que le temps passait et qu'ils vivaient ensemble, la relation entre les deux s'est renforcée. C'était un homme romantique, honnête et travailleur, qui la traitait toujours avec beaucoup d'affection, de respect, d'admiration et de sérénité. Il l'a surprise avec des cadeaux à des dates spéciales, avec des déclarations d'amour et a planifié des voyages romantiques pour s'éloigner de la routine. Leur relation s'est développée et ils se disputaient rarement. Pendant environ trois ans, ils ont partagé des moments privilégiés, dans des lieux enchanteurs, pleins de culture et d'histoire à apprendre. Profiter de la compagnie de l'autre, des moments de plaisir et de liberté, et créer des souvenirs inoubliables partout où ils sont allés.

Au bout de trois ans, il s'est finalement séparé de sa femme et ils ont décidé d'emménager ensemble. C'est ainsi qu'ils ont commencé, à la recherche d'une vie plus partagée. Cependant, ils se sont rendu compte que ce qui était autrefois enchanteur était devenu une routine dans leur vie. La passion, l'amour, l'attirance, tout s'est effondré. Avec cela, ils ont réalisé qu'ils appréciaient davantage le temps qu'ils étaient amants parce qu'ils n'avaient aucun engagement l'un envers l'autre.

La question que nous posons est : « L'amant est-il une personne qui détruit vraiment le bonheur des autres ? » Alors qu'ils emménageaient ensemble, ils ont découvert une terrible vérité, à savoir que le mariage n'est pas un rêve d'enfant. C'est peut-être une grande leçon pour tout le monde. Peut-être se rendent-ils compte maintenant qu'ils ont blessé quelqu'un et qu'ils récoltent ainsi la loi du retour qui ne manque jamais.

En conclusion, l'histoire de Kitty et Venceslas nous montre que les relations extraconjugales peuvent avoir de nombreuses conséquences difficiles à digérer et que ne pas toujours être ensemble est le meilleur choix. L'amour, la camaraderie de l'autre et la romance peuvent être bons, mais être marié est une réalité totalement différente des rencontres sporadiques. Être amant peut détruire notre estime de soi, mettre fin à un mariage de plusieurs années, et pourtant n'être que des moments de plaisir et rien de plus. Par conséquent, la tricherie n'est pas la meilleure option pour résoudre un problème dans une relation. Il est préférable de séparer, de réfléchir, puis de prendre de grandes décisions. Ce n'est qu'à ce moment-là que personne n'en souffrira.

Les hommes et les femmes peuvent-ils être amis ?

Je crois que oui. Plus que du sexe, De nos jours, les gens ont ce sentiment de bienveillance et d'appartenance à une cause. Il y a des gens que nous connaissons, qui ressentent immédiatement cette belle affection qu'est d'être amis. Même si nous sommes mariés, nous pouvons avoir beaucoup d'amitiés sincères.

Mais cela varie d'une personne à l'autre. Il y a des hommes qui sont exclusivement sexuels et qui pensent comme des animaux. Par conséquent, ils profitent de l'amitié avec la victime et veulent quelque chose de plus. Donc, dans ce cas, ils pensent toujours à la question sexuelle. Mais tous les hommes n'agissent pas de cette façon.

Besoin d'un conseil ? Faites moins confiance aux hommes, mais laissez-les être libres. S'ils veulent trahir, vous ne pouvez pas les en empêcher. Donc, si vous voulez vraiment l'affection d'un homme, laissez-la être spontanée et ne forcez rien parce que cela ne vaut pas la peine de mendier de l'amour à qui que ce soit.

L'amour entre amis s'est transformé en relation

Cassandra et Carlos étaient amis depuis l'enfance. Ils se sont rencontrés dans leur petit quartier de Mouches, dans l'État de Pernambuco, et se sont rapidement entendus. Au début, leur amitié a été marquée par des moments communs, de grandes aventures, de belles histoires, une affinité et une compréhension qui étaient très bonnes. Cependant, leurs différents engagements, leurs vies elles-mêmes, leurs différentes classes sociales les ont gardés aussi bons amis, même s'ils avaient un beau sentiment l'un pour l'autre.

À la fin de leurs études secondaires, Cassandra et Carlos ont déménagé dans une autre ville, mais ont promis de rester en contact. Ils communiquaient par lettres, appels téléphoniques, courriels, et tuaient ainsi une partie de son désir. Il y a eu de longues années de désespoir de ne plus partager le même espace physique. Mais ils rêvaient encore de plus de choses.

Cinq ans plus tard, ils se retrouvèrent à l'occasion de la fête du saint patron de Taon, Sainte Thérèse. C'était une soirée spéciale, avec beaucoup de danse, de musique, de religiosité et d'amour. Ils sont restés ensemble et ont ainsi commencé une relation.

À partir de ce moment-là, ils se sont retrouvés avec plus de fréquence. Après deux ans de fréquentation, ils se sont fiancés. Et un an plus tard, ils se sont mariés. Vraiment, ils étaient sûrs qu'ils voulaient être ensemble pour toujours. Ils ont eu trois enfants : deux garçons et une fille. Leur amour était complet dans les petites choses et dans les grandes aussi. C'étaient des moments de bonheur, mais aussi de tristesse et de déception. Et c'est ainsi qu'ils sont restés ensemble pendant vingt ans.

Carlos Il est décédé, mais les bons souvenirs sont restés. Tout ce qu'ils ont construit ensemble était leur témoignage de vie. Oui, il est possible de construire un mariage sur l'amitié. Même si la vie nous montre plusieurs rebondissements, ceux qui s'aiment finissent ensemble parce que l'amour est plus grand que tout. Comme l'amour véritable est beau et ses exemples nous donnent la force de continuer à nous battre pour notre propre bonheur.

Il y a des hommes qui mènent une double vie

Il y a des hommes qui ont deux mariages en même temps et qui réussissent parfois à le cacher pendant longtemps. Ce sont les hommes dits polygames. Sans entrer dans le fond de l'éthique de la question, je peux dire que cette double vie est une grande farce et peut causer des dommages financiers et psychologiques aux individus.

La polygamie n'est qu'une façon de voir le monde. C'est un mode de vie qui contredit les règles avec lesquelles nous avons été élevés. Mais pour certaines personnes, ce n'est pas une erreur ou un péché. Arrêtons donc de juger et comprenons qu'il s'agit d'une façon différente de voir le monde. Cependant, personne n'est obligé d'accepter de vivre une farce. Il y a donc des gens qui craquent lorsqu'ils découvrent cette fraude.

Ne soyez pas déprimé

Êtes-vous très triste ? Êtes-vous fatigué de votre routine et de tout ce qui vous entoure ? Vous sentez-vous anxieux et pensez-vous à l'avenir ? Consultez un psychiatre. Il peut s'agir de stress ou de l'apparition d'une dépression. En enquêtant le plus tôt possible, vous aurez une chance de vous rétablir le plus rapidement possible.

Il est normal d'être triste et insensible par moments. Ce qui n'est pas normal c'est si les symptômes persistent. Soyez donc prudent et surveillez-vous pendant un moment. Notre santé passera toujours en premier. Rien n'est plus important que notre santé : pas d'argent, pas de travail, pas de réalisations. Dieu et la santé sont les piliers de notre vie.

Mon histoire personnelle comme exemple de dépassement de défis

Chers collègues écrivains et lecteurs, je suis ici pour donner mon témoignage personnel qui peut aussi servir d'encouragement pour beaucoup de ceux qui sont encore au début du chemin littéraire. Mon rêve littéraire a commencé très jeune, à l'adolescence. La Fondation Possidônio Tenório de Brito a ouvert une bonne bibliothèque dans ma communauté et a partagé mon temps à l'école, en travaillant dans les champs et en lisant, je passais mes journées. J'ai perdu le compte du nombre de collections de livres que j'ai dévorées pendant cette période. C'était vraiment bien d'être une lectrice, mais j'en voulais plus. J'ai grandi dans ce monde de rêves sains. Déjà à l'âge adulte, en 2006, alors qu'un problème de santé relativement grave m'affaiblissait au point que je me sentais inadéquat, la littérature était une soupape d'échappement pour que je puisse progressivement me libérer de mes démons intérieurs. À cette époque, j'ai écrit un petit livre sur quelques feuilles à gratter. À l'époque, il était impensable pour moi d'avoir un ordinateur en raison de mes conditions défavorables. Ce n'était pas mon moment. J'ai sauvegardé mes brouillons pour une date ultérieure. En 2007, j'ai commencé à taper mon livre entre deux fois au travail, en l'enregistrant sur une disquette. J'ai été si malchanceux que la disquette a brûlé. J'ai commencé le cursus de mathématiques et une fois de plus, j'ai laissé mon rêve de côté. J'ai terminé mes études universitaires en 2010 et l'année suivante, j'ai acheté mon premier ordinateur portable. À ce moment-là, j'avais déjà écrit mon premier roman et j'avais donné la priorité à sa dactylographie. Je l'ai sorti la même année. J'avais réalisé mon rêve d'être un auteur publié, même si ma situation financière était encore catastrophique. Je me suis arrêté à nouveau avec mon rêve. Au moment où je ne m'y attendais plus, j'ai passé un examen public et repris la littérature fin 2013. Le simple fait de ressentir le plaisir des lecteurs de mon pays et d'autres pays à lire mes écrits valait tous mes efforts. Mon objectif dans la littérature va au-delà de l'argent, en tant que revenu, j'ai mon travail. C'est partager des concepts, transformer et créer de nouveaux mondes, c'est toucher les gens et les rendre plus humains dans une culture de paix. C'est croire que même face au labeur normal, aux problèmes que tout le monde a, je peux rêver de jours meilleurs. La littérature m'a complètement transformé, moi et tous ceux qui m'entourent. Je dois tout à mon grand Dieu qui me soutient toujours. Je continuerai mon voyage avec la foi dans mon cœur et en immortalisant ce don de Dieu pour toujours. C'est pourquoi, mes chers collègues, n'abandonnez jamais vos rêves. Tu peux le faire !

Actuellement, cela fait dix ans que je n'ai pas repris l'écriture en continu. J'ai écrit une cinquantaine de livres et je suis publié de manière indépendante dans plus de trente langues. Même si je n'ai pas encore atteint le succès littéraire, pour moi je suis déjà un grand succès. J'ai réussi à être cet homme guerrier prêt à tout pour survivre et subvenir aux besoins de sa famille. J'ai du succès parce que je crois en mon art et au pouvoir de la parole. Au cours de ces dix-sept années de carrière littéraire, je peux dire avec fierté que j'ai survécu. J'ai survécu à tous les défis que la vie m'a lancés. Je continue à croire en mon talent et à continuer avec beaucoup d'énergie mes œuvres littéraires. Je suis fière de chaque livre que j'ai écrit parce que chacun d'entre eux contient de précieuses leçons. Je suis fière d'être une défenseure du groupe LGBT, de lutter contre le racisme, de lutter contre les préjugés, de défendre les pauvres, les enfants des rues, les orphelins et les marginalisés. Je suis fier d'être un homme honnête, généreux et charitable envers les autres. Le monde serait tellement meilleur si tout le monde partageait mes idéaux de justice, d'égalité et d'amour pour tous.

Vous n'avez besoin du soutien de personne pour gagner

Vous en avez assez de votre famille, de vos amis, de votre femme, de vos parents ou de votre partenaire, qui ne vous soutiennent pas dans vos rêves ? J'ai une grande question pour vous : ne vous attendez pas à recevoir le soutien de qui que ce soit. Pour réaliser votre rêve, vous avez besoin de planification, d'action, d'argent et de beaucoup de bonne volonté. Vous pouvez aller plus loin, même seul sur votre chemin.

Votre foi et votre espérance peuvent compenser ce manque de soutien de la part des autres. Et puis vous serez heureux de faire chaque pas que la vie vous lance. Croyez en Dieu, en vous-même et en votre talent. Vous pouvez et êtes capable de surmonter toutes les difficultés. Ne croyez pas vos adversaires qui disqualifient votre travail.

Si vous écoutez les opinions des autres, vous n'êtes jamais plus qu'un simple échec. Réagissez et montrez-leur à tous vos grandes compétences en matière de résolution de problèmes. Alors vous trouverez en vous-même le bonheur que vous avez cherché toute votre vie. Réjouissez-vous et lancez-vous.

Marcélia était une belle jeune femme qui vivait dans la campagne du Piauí, née dans une famille très pauvre et humble. Dès l'enfance, elle a fait preuve d'une force extraordinaire et d'une volonté phénoménale de faire face aux problèmes courants de la routine. Alors que plusieurs enfants du même groupe d'âge ne s'inquiétaient pas trop de l'avenir, elle était engagée dans chacun de ses rêves. On peut dire qu'elle voyait la pauvreté comme le carburant pour vouloir gagner et changer cette réalité.

Son enfance n'a pas été facile du tout. Il partageait son temps entre l'école, le travail dans les champs et le sport. Enfant, on pouvait voir qu'elle était une jeune femme pleine de talent. Mais gagner ne serait pas facile du tout en raison de sa situation financière précaire. Les journées dans les champs étaient misérables. Il luttait sous un soleil ardent, sans repos et sans luxe. Ce qui lui a donné la force de se battre, c'est son rêve d'être une sportive professionnelle, une gymnaste de renom. Aussi ses jours se passèrent-ils dans de grandes difficultés.

Dans son enfance et son adolescence, le manque de soutien était criant. Même la famille ne croyait pas en ses rêves. Mais la jeune fille était là, en train de s'entraîner, insistant sur un rêve auquel elle seule croyait. Pour cette raison, beaucoup de gens avaient une admiration particulière pour elle.

Après avoir obtenu son diplôme d'études secondaires, elle a pris une décision difficile. Il a quitté sa famille et a déménagé dans la ville de Saint Paul. Là-bas, il a immédiatement obtenu une bourse et a commencé à s'entraîner de manière exhaustive. Juste au moment où elle se sentait prête, elle a participé à plusieurs tournois et a obtenu de nombreux prix. Elle est devenue médaillée d'or aux Jeux olympiques, surprenant tout le monde. Son exemple nous montre qu'un rêve est possible quand on s'efforce de le faire. C'est pourquoi je dis : n'abandonnez jamais vos rêves, aussi fous soient-ils.

Ne jouez pas dur dans une relation

Allez-y doucement dans une relation, mais ne jouez pas dur non plus. De la façon dont le monde va, vous allez perdre votre petit ami au profit d'une personne plus libérale. De nos jours, les petits amis ont des relations sexuelles et ce n'est pas hors de ce monde. Alors pourquoi aller à l'encontre des probabilités ? Le risque est très élevé.

Nous devons donner le meilleur de nous-mêmes à notre petit ami. Tout comme nous donnons, nous recevons aussi. Ainsi, cet échange d'énergie aimante nous fait beaucoup de bien et renforce notre esprit et notre esprit. Eh bien, profitez de ce moment de rencontre pour profiter du meilleur de chacun d'entre vous en tant que couple. C'est une période qui passe vite, mais c'est une période de croissance, d'apprentissage et d'amour ensemble.

Être mature, c'est prendre des conversations aléatoires pour acquises

La maturité nous apprend que les conversations sont importantes. Ce dialogue doit être construit quotidiennement et avec valeur. Les conversations déformées ou sans importance sont derrière nous. Nous commençons à lui accorder plus de valeur au contenu, à la qualité et aux personnes. Nous commençons à valoriser ce qui compte vraiment.

À l'âge de quarante ans, tout a une saveur particulière pour moi. Pratiquement d'âge moyen, je suis une personne mature, consciente de mes devoirs et de mes obligations envers la société. Cela ne devrait pas m'étouffer, mais cela m'alerte sur les escroqueries potentielles. Je vis donc ma vie avec beaucoup de soin et d'appréciation pour ma vie.

Eh bien, être mature nous invite à la réflexion intuitive. Qu'est-ce qu'on fait ? On allons-nous ? D'où venons-nous ? Ce n'est qu'en vous-même que vous trouvez ces réponses éclairantes. Plongeons donc dans cette mer intérieure d'émotions et ressentons ce goût inégalé de réalisations personnelles que nous pouvons obtenir. Tout cela en vaut la peine, il suffit d'y croire.

Pardon

Quelqu'un de très proche de vous vous a trahi, vous a trompé et vous a méprisé. Est-il possible de pardonner ? Est-ce possible quand la personne en qui vous avez le plus confiance vous a tendu un piège et vous a discriminé pour votre façon d'être et de voir le monde ?

Il y a un processus de deuil nécessaire pour qu'il se remette du coup psychologique qu'il a subi. Cependant, il est nécessaire de réfléchir et de se remettre en question. Est-ce que j'ai une culpabilité dans ce qui s'est passé ? N'étais-je pas trop attendu de l'autre ? Est-il possible de se donner une seconde chance ? Après ces considérations, tout deviendra plus clair pour vous et vous aurez un chemin à suivre.

Mon meilleur conseil à tous ceux qui ont vécu ce genre de frustration est de lui donner du temps. Comme le dit un vieil adage, le temps guérit tout. Attendez que le temps de la tempête et de la colère passe. Concentrez vos efforts sur la dissipation de votre esprit les émotions qui vous nuisent : la haine, la vengeance, la culpabilité et l'intolérance.

Il est important de se rappeler que la rancune provoquée par l'autre restera jusqu'à ce que vous preniez une décision : effacer le fait (même sans l'oublier) et passer à autre chose (vous valoriser davantage).

Pardon : C'est le nom du soulagement de votre conscience, c'est ce qui libérera votre cœur de tous les chagrins et de toutes les souffrances. Pardonner, c'est se débarrasser du poison et du feu qui consument votre confiance dans les autres. Ce n'est pas seulement une attitude, c'est un choix de vie de l'âme parce que ceux qui ne pardonnent pas non plus n'ont pas non plus de crédits qui méritent le pardon de Dieu. Mais êtes-vous vraiment prêt à pardonner ? La sincérité avec soi-même est la première étape pour pouvoir pardonner à quelqu'un.

Le pardon de Jésus à la prostituée

Pardonnez-vous à votre prochain ? Est-ce que tu te pardonnes à toi-même ? Demandez-vous pardon à Dieu ? Exercez-vous toujours le pardon ? Si vous avez répondu oui à toutes ces questions, vous êtes sur la bonne voie.

Le pardon nous libère du poison que nous portons. Le pardon nous libère de la douleur et de la haine. Le pardon nous apporte une paix indescriptible. Alors, suivons l'exemple du maître qui a pardonné à la prostituée. Qui sommes-nous pour juger les autres ? Nous devons nous occuper de nos propres défauts. Nous avons nos propres problèmes à résoudre. Ainsi, comprendre les autres fait partie du pardon que nous exerçons continuellement.

Quand j'ai pardonné à mes ennemis, ma vie s'est beaucoup améliorée. Je me suis débarrassé de tous les mauvais sentiments qui inondaient mon âme. Je suis devenue une personne plus joyeuse, plus participative, plus épanouie. Je suis devenue la clé de mon propre bonheur. Aujourd'hui, avec quarante ans vécus, je suis dans une bonne phase, avec beaucoup de paix et d'harmonie. J'espère que l'avenir nous réserve plus de bonheur et de réalisations.

Ma nuit noire de l'âme s'est déroulée dans une période de vingt ans à trente-cinq ans. Je ne m'aimais pas, je cherchais le sens de la vie, je cherchais le bonheur chez les autres. Et ce fut une période de grands trébuchements, de douleur et de déception. C'est à ce moment-là que je me suis réveillé à la vie.

Après cela, il y a environ cinq ans, j'ai exclu la possibilité de trouver l'amour. Après tant de rejets et tant de souffrances, j'avais la seule option de me valoriser. Aujourd'hui, après quarante ans de vie, j'ai le sentiment d'avoir fait mon meilleur choix. Je n'attends rien d'autre des autres. Je peux vivre ma vie seule, avec une grande liberté. Je m'aime, j'aime Dieu et je me sens bien dans ma peau. Mais ce processus de maturation émotionnelle n'a pas été facile du tout.

Je comprends que vous pouvez beaucoup souffrir de la solitude, de vos crises existentielles, de votre anxiété, de votre perspective de l'avenir. Être seul est une grosse arnaque de la vie, mais cela peut aussi être agréable. Nous devons comprendre que le prince charmant n'existe pas. Il faut comprendre : un conte de fées est bon à écouter, mais il ne reste que dans le domaine des idées. Nous devons voir que la vraie vie est totalement différente de la vie romantique dans les films et les livres. Et c'est précisément l'art qui nous fait survivre aux jours d'angoisse. Que serait la vie sans l'art ? Ce serait un vide sans fin.

Suis-je heureux dans ma solitude existentielle ? Oui, certainement. Je suis en très bonne santé, avec beaucoup de joie, avec beaucoup de bonheur, avec beaucoup d'énergie. J'ai appris à faire de ma journée la meilleure possible et les choses s'améliorent toujours pour moi. Être heureux est ma seule option et je crois que je suis sur la bonne voie. Que Dieu bénisse tous mes projets et que je sois très heureux.

Nous avons tous notre histoire et notre combat personnel. Juger est facile, mais vivre ce que nous vivons, seulement ceux qui sont dans la peau. J'ai moi-même eu de gros problèmes à résoudre tout au long de ma vie. J'ai moi-même dû beaucoup pleurer pour comprendre tous les outrages que j'ai subis. J'ai été cobaye dans plusieurs emplois, mais je n'ai été heureux dans aucun d'entre eux.

Qui est riche ? Les riches sont ceux qui ne dépendent pas de l'emploi. Rico a sa propre économie et pourrait vivre de son argent pour le reste de sa vie. Réalité de quelques-uns et envie du plus grand nombre. Qui ne veut pas de son indépendance financière ? Mais malheureusement, il n'est pas facile d'obtenir l'indépendance tant attendue. Seulement si vous êtes un homme d'affaires célèbre.

J'aime être pauvre. J'aime être écrivain et avoir de bonnes histoires à raconter. J'aime être la personne que je suis. Dès mon plus jeune âge, j'ai appris les bonnes choses de la vie. Dès mon plus jeune âge, j'ai appris à être honnête. Dès mon plus jeune âge, j'ai appris à faire le bien. Depuis que je suis petite, j'ai de l'amour dans mon cœur. Et c'est ainsi que j'ai transformé la vie de millions de personnes.

C'est pourquoi je ne juge personne. En fait, je ne dis même pas de mal des gens. Si je ne peux pas aider, je ne me mets pas en travers du chemin non plus. Je le fais de cette façon parce que je crois en la loi du retour qui est pour tout le monde. Semez bien aujourd'hui et récoltez le succès demain. Plantez de bonnes graines aujourd'hui, arrosez correctement et le voir porter du fruit. Vous seul saurez à quel point il est important d'avoir vos réalisations qui ne sont pas tombées du ciel. Vous seul saurez à quoi ressemblera la victoire après avoir attendu si longtemps. Vous seul saurez où la cal se resserre. Alors, célébrez beaucoup votre succès personnel et que de plus en plus de victoires viennent.

Qu'est-ce que Dieu exige de nous ?

Dieu n'exige pas de nous de grands sacrifices. Seulement que nous soyons de bons disciples du bien. Lorsque nous savons que ce que nous faisons est juste, alors notre conscience est plus claire. Comme il est bon d'être en paix avec soi-même et d'avoir un contrôle émotionnel des choses. Être leader de soi-même exige des attitudes courageuses et définitives. Être un protagoniste de votre histoire nécessite un amour et une qualité propres à l'individu. Écrivez-vous votre histoire de la bonne façon ?

Qu'exigez-vous de vous-même ? Et que faites-vous pour être heureux tous les jours ? La réponse à ces questions peut vous donner une bonne direction dans la vie. Lorsque nous comprenons notre valeur, lorsque nous sommes capables de nous battre pour nous-mêmes, lorsque l'amour en nous s'épanouit, nous serons prêts pour la prochaine étape.

Qu'est-ce que la vie attend de vous ? Vous avez pris soin de votre spiritualité et de la façon dont vous Rencontrez-vous vos obstacles ? Il est important de comprendre chaque étape de notre vie pour planifier notre avenir. Ce que nous ne pouvons pas faire, c'est perdre la foi en Dieu, la foi en la vie et la foi en nous-mêmes. La foi est ce qui déplacera les montagnes et accomplira des miracles.

Foi et espérance

Ce sont des vertus importantes pour garder en vie la chance de gagner et de progresser, de réaliser les rêves. Chaque projet ne représente au départ qu'une envie, un objectif à atteindre. L'étape suivante consiste à se battre pour l'accomplir. En ce moment, il ne faut pas baisser les bras face aux pierres d'achoppement et aux obstacles, mais recommencer avec courage et espérance.

L'espérance est une bouffée d'air frais pour l'esprit, c'est aspirer à l'aide du destin, c'est prendre de la force. Non pas l'espoir passif, mais l'essor de l'action, de la coopération et de l'organisation. Lorsque vous atteignez ce stade, vous devez avoir la foi. Croyez que tout est possible, ayez confiance. La foi est la qualité qui différencie le gagnant du perdant, le croyant de l'incroyant, le juste de l'injuste.

Avoir la foi, c'est entrevoir l'avenir dans le présent, c'est sentir une réalité invisible aux autres, c'est accepter et participer au projet du créateur. La foi ouvre les portes de la guérison (du corps et de l'âme), ébranle et enlève les fondements de l'incrédulité, libère l'esprit (de l'oppression maléfique et des courants de pensée négatifs).

Par conséquent, la foi et l'espérance se complètent et forment en nous une force qui transforme notre vie et notre relation avec Dieu.

Qu'est-ce que cela signifie d'être romantique ?

Être romantique, c'est être poli, gentil, gentleman. Être romantique, c'est se donner pour de vrai dans une relation. Cependant, tout le monde n'aime pas un homme romantique. Voici donc un conseil gratuit : soyez vraiment ce que vous êtes. Si vous ne plaisez pas aux autres, patience. Au moins, faites-vous plaisir.

Je suis un mélange de romantique et de pragmatique. Je suis le mélange du moderne et de l'ancien. Je suis le mélange de l'attention et de la liberté. Donc, je suis un équilibre entre le rationnel et le sentimental. Il ne s'agit pas de savoir si c'est la bonne chose à faire, mais c'est ce que je propose de faire.

Être romantique n'est pas toujours idéal dans les relations d'aujourd'hui. Je pense que le romantisme appartient plutôt au passé. Alors vivons la vraie vie aujourd'hui et voyons quelles sont nos possibilités réelles. Soyons heureux immédiatement avant que le temps ne passe à la fois et ne nous emporte. La vie passe trop vite. La vie est trop importante pour que nous la perdions.

Final

Milton Keynes UK
Ingram Content Group UK Ltd.
UKHW010938221123
433051UK00003B/227